中國美術全集

卷 軸 畫 一

全 國 百 佳 圖 书 出 版 單 位

時代出版傳媒股份有限公司

黃 山 書 社

☆ 國家出版基金項目

圖書在版編目（CIP）數據

中國美術全集·卷軸畫/金維諾總主編；聶崇正卷主編.—合肥：黃
山書社，2009.10

ISBN 978-7-5461-0692-2

I.中… II.①金… ②聶… III.①美術—作品綜合集—中國—古代
②中國畫—作品集—中國—古代 IV.J121 J222.2

中國版本圖書館CIP數據核字（2009）第155844號

中國美術全集·卷軸畫

總 主 編：金維諾　　　　卷 主 編：聶崇正　　　　責任印製：李曉明
責任編輯：沈 傑　　　　封面設計：蠹魚閣　　　　責任校對：李 婷

出版發行：時代出版傳媒股份有限公司(http://www.press-mart.com)
　　　　　黃山書社(http://www.hsbook.cn)
　　　　　（合肥市翡翠路1118號出版傳媒廣場7層　郵編：230071　電話：3533762）
經　　銷：新華書店
印　　刷：北京雅昌彩色印刷有限公司

開本：889×1194　1/16　印張：95.00　　字數：152千字　　圖片：1903幅
版次：2010年6月第1版　印次：2010年6月第1次印刷
書號：ISBN 978-7-5461-0692-2　　　　　　　定價：3000圓（全五冊）

凡　例

一、編　排

1.本書所選作品範圍爲中國人創作的、反映中國文化的美術品，也收錄了少量外國人創作的，在中外文化交流史上具有代表性的美術品，如唐代外來金銀器、清代傳教士郎世寧的繪畫作品等。

2.根據美術品的表現形式和質地，共分爲二十餘類，合爲卷軸畫、殿堂壁畫、墓室壁畫、石窟寺壁畫、畫像石畫像磚、年畫、岩畫版畫、竹木骨牙角雕珐琅器、石窟寺雕塑、宗教雕塑、墓葬及其他雕塑、書法、篆刻、青銅器、陶瓷器、漆器家具、玉器、金銀器玻璃器、紡織品、建築等二十卷，五十册。另有總目錄一册。

3.各卷前均有綜述性的序言，使讀者對相應類別美術品的起源、發展、鼎盛和衰落過程有一個較爲全面、宏觀的瞭解。

4.作品按時代先後排列。卷軸畫、書法和篆刻卷中的署名作品，按作者生年先後排列，佚名的一律置于同時期署名作品之後。摹本所放位置隨原作時間。

5.一些作品可以歸屬不同的分類，需要根據其特點、規模等情況有所取捨和側重，一般不重複收錄。如雕塑卷中不收錄玉器、金銀器、瓷器。當然，青銅器、陶器中有少數作品，歷來被視爲古代雕塑中的精品（如青銅器中的象尊、陶器中的人形罐等），則酌予兼收。

6.爲便于讀者瞭解大型美術品的全貌，墓室壁畫、紡織品等類別中部分作品增加了反映全貌或局部的示意圖。

二、時間問題

7.所選美術品的時間跨度爲新石器時代至公元1911年清王朝滅亡（建築類適當下延）。

8.遼、北宋、西夏、金、南宋等幾個政權的存在時間有相互重叠的情況，排列順序依各政權建國時間的先後。

9.新疆、西藏、雲南等邊疆地區的美術品，不能確知所屬王朝的（如新疆早期石窟寺），以公元紀年表示，可以確知其所屬王朝（如麴氏高昌、回鶻高昌、南詔國、大理國、高句麗、渤海國等）的，則將其列入相應的時間段中。

10.對于存在時間很短的過渡性政權，如新莽、南明、太平天國等，其間產生的作品亦列入相應的時間段中，政權名作爲作品時間注明。

11.某些政權（如先周、蒙古汗國、後金等）建國前的本民族作品，則按時間先後置于所立國作品序列中，如蒙古汗國的美術品放在元朝。

三、圖版説明

12.文字采用規範的繁體字。

13.對所選美術作品一般祇作客觀性的介紹，不作主觀性較强的評述。

14.所介紹内容包括所屬年代、外觀尺寸、形制特徵、内容簡介、現藏地等項，出土的作品儘量注明出土地點。由于資料缺乏或難以考索，部分作品的上述各項無法全部注明，則暫付闕如，以待知者。

四、目録及附録

15.爲了方便讀者查閲，目録與索引合并排印，在每一行中依次提供頁碼、作品名稱、所屬時間、出土發現地/作者、現藏地等信息。

16.爲體現美術作品發展的時空概念，每卷附有時代年表，個別卷附有分布圖，如石窟寺分布圖、墓室壁畫分布圖等。

五、其　他

17.古代地名一般附注對應的當代地名。當代地名的録入，以中華人民共和國國務院批準的2008年底全國縣級以上行政區劃爲依據。

18.古代作者生卒年、籍貫、履歷等情況，或有不同的説法，本書擇善而從，不作考辨。

中國美術全集總目

中國卷軸畫概說

　　中國古代繪畫在其長期發展過程中，形成了鮮明的民族風格和藝術特色，它是東方文化的重要組成部分，在世界藝壇上也占有特殊的地位。在五千多年前仰韶文化的彩陶器物上，先民們就繪有黑或紫色人面、魚、鹿等圖案，再後如商周時的青銅器上，也布滿了圖形紋飾。以上這些都可以看作是繪畫的先河。古代無名藝術家（如果當時有藝術家的話）的妙筆，不僅僅爲我們留下了不朽的藝術品，而且也爲富有民族傳統的繪畫奠定了基礎，開闢了道路。

　　目前我們所能見到最早的獨幅繪畫作品，當推戰國時楚國的帛畫，距今已有兩千多年了。它是從墓葬内出土的畫于絲織品上的繪畫。由于年代的久遠，絲織物能保存至今是極爲不易的，故這類繪畫作品祇發現了三幅。

　　1949年2月在湖南長沙近郊陳家大山一座已經被盜掘的楚墓内，人們從凌亂破碎的器物中，發現了一幅後來被稱之爲《人物龍鳳圖》的帛畫。畫幅并不大，圖上畫了一位側面而立的婦女，細腰、垂髻，長裙拖地，并向兩邊張開，衣袖寬大，袖口收緊，袖及衣領上有黑白相間的斜條紋飾。婦女兩手向前伸出，彎曲朝上。在婦女的左前方，飛翔着一隻鳳鳥，翅膀張開，首昂起，鳳尾彎曲；一脚前曲，另一脚後伸，露出有力的爪。鳳鳥前面有一條龍，龍身蜿蜒曲伸。1973年5月在重新清理湖南長沙子彈庫的楚墓時，又發現了一幅帛畫，名爲《人物御龍圖》。畫上是一個側身而立的男子，身材修長，高冠長袍；腰間佩帶長劍，手執繮繩，駕馭着一條巨龍。龍首高昂，龍尾上翹，龍身平伏如舟狀。龍尾立一鶴，龍下有魚。

　　這兩幅畫中的人物據考查可能就是墓主人，畫的内容反映了當時人們祈求死後升天的思想。兩幅畫可稱爲姐妹作，在人物形象的塑造上，都能把握住人體各部位的比例及動態，綫條流暢，在施色上平塗與渲染兼用。由此可以看到，我國傳統的工筆重彩畫法的雛型，早在兩千多年前的戰國已經形成，并達到比較高的水平。

　　我們對于秦漢及魏晋南北朝時期繪畫發展的面貌，主要借助于文獻資料來瞭解。比如西漢時毛延壽在宮中畫像，因王昭君不肯賄賂而將她畫得較醜，故未能得到皇帝寵幸的故事，說明了當時人物肖像畫的用途及達到的水平。但作品實物我們則無從見到。這種狀況隨着考古發掘的進展，新資料的不斷出現而逐步改變了。我們不但見到了許多墓室壁畫，而且自1972年以來，在湖南長沙馬王堆漢墓及山東臨沂金雀山漢墓中陸續發現了西漢早期畫在絲織物上的繪畫作品。這些作品在反映更加廣泛的社會生活方面，在繪畫技巧的熟練方面，都較之戰國楚墓帛畫有了長足的進步。

我們在長沙馬王堆一號墓帛畫上看到了人間生活和神話故事交織的内容、繁複飽滿的構圖、熟練流暢的綫條和絢麗和諧的色彩，確實使人大開眼界，爲我們瞭解西漢時的繪畫水平提供了極爲珍貴的實物資料。

魏晉南北朝時期是中國繪畫重要的發展時期，除去墓室壁畫、寺窟壁畫、殿堂壁畫外，卷軸畫開始流行。繪畫藝術得到新的發展的標志之一，就是部分身居上層社會的文人士大夫參加到繪畫創作的行列中來了，使繪畫與文學的關係愈加密切。代表畫家有顧愷之、陸探微、張僧繇、謝赫等。其中以東晉的顧愷之最爲著名，影響也最大。

顧愷之大約生活于公元345年至406年間，無錫（今屬江蘇）人，字長康，小名虎頭，曾經在大將軍桓温帳下任參軍的職務。他多才多藝，除擅長繪畫外，又能詩賦，兼精書法。顧愷之的繪畫作品以人物故事、道釋等題材爲主，強調"傳神"，注重人物眼睛的刻畫，筆下的綫條連綿不斷，被人形容爲"春蠶吐絲"，很有特色。我們現在還能從幾件唐宋時人的摹本中看到顧愷之繪畫的面貌。《女史箴圖》是顧愷之根據晉張華所寫的《女史箴》而畫的。張華的文章歌頌了古代賢慧有德的婦女，作爲後世的鑒戒，顧愷之的繪畫將此文圖解，文圖相間，近似插圖。根據三國時曹植的文學作品《洛神賦》而畫的《洛神賦圖》，將賦中描寫的情景分段畫出，各段落之間以山川林木相隔，過渡自然，畫面無割裂之感。所畫人物動態不大，但神情顧盼，躍然絹上。顧愷之的創作大多取材于文學作品，繪畫的教育作用十分明顯。

這個時期的繪畫在表現手法上尚有不足之處，存在着如畫史評論的"人大于山"、"水不容泛"的缺點，説明畫面中人物和背景的比例不够協調，畫家還没有掌握適當的藝術語言來表達畫面的縱深感，山水樹石僅僅是畫中人物的陪襯。繪畫發展到隋唐時，畫家在原有的基礎上，對題材、畫科、技法等方面又作了重要的新的開拓。他們把原先表現歷史題材及宗教題材的熱情，更多地投向了現實的生活和人。山水畫、花鳥畫也從過去依附于人物畫的狀况裏脱身，形成了獨立的畫科。

隋朝展子虔的《游春圖》，描繪貴族士人春日郊游踏青的情景，筆調細勁，色彩濃麗，畫面層次分明，深遠感較强，人物、舟車和自然界山川的比例也很恰當。這是一幅很典型的早期工筆青綠山水的杰出作品。唐朝初年的閻立德、閻立本兄弟則是著名的人物畫家。閻立本（公元？－673年）曾任工部尚書、右相等官職，他的許多作品和當時的政治密切相關。他曾畫過《秦府十八學士圖》，通過表揚李世民部下的文人謀士，來謳歌秦王禮賢下士的品德；他還爲唐朝開國文武功臣二十四人畫像，名爲《凌烟閣功臣像》。閻立本的《步輦圖》則反映了唐初的又一個重要歷史事件：吐蕃王松贊干布與唐王朝文成公主聯姻結親。畫面描繪唐太宗李世民端坐在衆多宮女抬着的"步輦"（即坐榻）上，接見松贊干布派來迎娶文成公主的使臣禄東贊的場面。各種人物在這莊嚴的儀式中有着符合自己身份的神情和動態，非常真實生動。根據閻立本當時的身份和地位，他很可能是這次歷史性會見的目擊者。

唐朝其他重要畫家還有李思訓、李昭道父子。李思訓（公元653－718年）出身貴族，曾任右武衛大將軍。他以青緑重設色的山水畫名聞畫壇，影響一時。其子繼承他的畫風，父子在畫史上被并稱爲"大小李將軍"。被譽爲"畫聖"的吳道子，擅長畫人物、道釋及山水，他的作品在當時就極負盛名，一次在爲長安（今陝西西安）興善寺繪製大幅壁畫時，吸引了很多市民前來圍觀，畫到精采處，觀者情不自禁高聲喝彩，驚動了四周。吳道子擅長用綫條塑造形象，轉折起伏飄揚的綫條可以使"滿壁風動"，故後人有"吳帶當風"之説。詩人王維（公元698－759年）也擅長作畫，雖然他的真迹現在已經無法見到，但"詩中有畫，畫中有詩"的格調，使王維被後來的文人士大夫奉爲"文人畫"風的開創者，其影響極爲深遠。

唐朝豐富多采的社會生活，也使繪畫呈現出繁盛的景象。在人物畫中有的畫家專工仕女畫，代表者就是張萱和周昉。張萱是京兆（今陝西西安）人，以擅長刻畫貴族婦女的形態而聞名，從流傳下來的《搗練圖》、《虢國夫人游春圖》（均宋朝人摹本）上看，可知名不虛傳。《虢國夫人游春圖》將唐明皇（玄宗）的寵姬楊貴妃的三姐（即虢國夫人）等人舉止縱逸、悠閑自在的神態描畫得非常生動，真實地反映了盛唐時貴族婦女的生活。周昉也是京兆人，出身顯貴，曾經擔任過地方官職。他的仕女畫受到張萱畫風的影響，而又有新的特點。他的仕女畫"以豐厚爲體"，筆下的女性體態豐滿健壯，反映了盛唐至中唐時的習俗和審美趣味，代表作有《紈扇仕女圖》、《簪花仕女圖》等。唐朝人對于馬匹是十分喜愛的，馬匹除大量使用于戰爭外，還用于貴族們出行、郊游、擊馬毬等活動。由于這個原因，唐朝的畫壇上出現了若干專長畫馬的畫家，如韓幹、曹霸、陳閎、韋偃等，他們的作品又開拓了繪畫創作的新領域。

五代、兩宋時期，中國繪畫藝術在繼承前代傳統的基礎上又有新的發展。五代時中原地區戰爭頻繁，經濟文化遭到破壞，但地處西南的蜀和長江以南的南唐却有一個相對穩定的局面，許多文人及畫家爲躲避戰亂遷居到西蜀、南唐。這兩個地方政權統治者出于喜好，分別在宮中專門設立了"翰林圖畫院"的機構，容納衆多畫家，組織創作。中國在宮中收羅畫家作畫，漢唐時已有，但設立專門機構則始于五代。這樣的做法對于繪畫藝術的發展無疑起到了推動和促進的作用。

顧閎中是南唐畫院的畫家，他的傳世名作《韓熙載夜宴圖》描繪了南唐中書舍人韓熙載在家中舉行宴會歌舞的情景。全畫分爲五段，分別表現了"聽樂"、"觀舞"、"休息"、"清吹"、"送別"的場面。主人公韓熙載的形象，長髯高帽，與文獻記載相合，具有肖像畫的性質。畫家將韓熙載這個人物在歡樂場面中内心的苦悶，刻畫得非常成功。畫幅在構圖上也頗具特色，韓熙載在五個不同場合裏反復出現，每個段落之間以屏風、帳幃巧妙地隔開，既有連續性，又自成格局。此畫用筆工整細緻，色彩明麗鮮艷和諧，是一件藝術價值很高的作品。與顧閎中同時在南唐畫院中供職的周文矩，也是一位專長畫人物的畫家，他的作品多表現帝王和貴族婦女的游樂生活，代表作有《文苑圖》、《重屏會棋圖》等。《重屏會棋圖》描繪南唐中宗李璟和他的兄弟們下棋的情景。周文矩在描畫人物衣紋時，采用略帶顫動的"戰筆"描法，具有特殊的趣味。

五代時的花鳥畫家以黃筌、徐熙最著名。黃筌是成都人，前蜀、後蜀都在宮内供職，他所描繪的對象多是宮禁中的珍禽异鳥、奇花怪石，畫風精緻工細，色彩艷麗，裝飾性很强，和宮廷豪華富麗的格調十分吻合。與黃筌同時的另一畫家徐熙，則大多取材于普通的自然景物，如蘆花野竹、蔬菜五穀等，作品以水墨爲主，略施色彩，富有田園情趣。所以有人比較二者的畫風後，得出了"黃家富貴，徐熙野逸"的結論。

在山水畫方面，也同樣出現了不同的風格，分別表現了北方雄偉壯闊的高山巨嶺和南方秀麗平遠的澤國水鄉的景色。水墨山水畫的技法有進一步的發展，代表畫家有荆浩、關仝、董源和巨然。荆浩是沁水（今屬山西，一説爲河南濟源）人，他爲躲避唐末戰亂，移居于太行山中的洪谷，自號"洪谷子"。他的筆端揭示了北方山川雄渾壯麗的美，在用筆和用墨上注意將二者更好地結合起來，代表作有《匡廬圖》。關仝是荆浩的學生，長安（今陝西西安）人，專門描繪關中隴西一帶的自然景物，尤其擅長表現秋山寒林、村居野渡，雄渾中含有一股蒼凉的氣息。《山溪待渡圖》是他的代表作，畫中突出了深山危谷的險峻，反映了關仝作品的面貌。董源和巨然是生活在南唐的畫家，他們的山水畫有着與荆浩、關仝截然不同的風格和面貌。董源是鍾陵（今江西省進賢縣）人，南唐中宗時任北苑副史。他擅長描繪草木葱蘢、秀麗多姿、濕潤多雨的江南風光。爲了更好地表現出這一地區性的特點，董源在筆墨技法上也有創新，用筆柔和，更多水墨皴染，代表作《瀟湘圖》、《龍宿郊民圖》、《夏景山口待渡圖》等都具有以上特色。巨然是董源的學生，曾在江寧開元寺和開封開寶寺當和尚。他亦善畫"水深林密"的江南景色，筆墨秀潤，傳世名作有《層崖叢樹圖》、《萬壑松風圖》等。

趙匡胤建立了宋朝，結束了中原地區分裂戰亂的局面。這一時期繪畫的主流是宮廷院畫，同時文人士大夫畫也顯露端倪。

北宋依照西蜀和南唐的制度設立了"翰林圖畫院"，集中了全國各地的繪畫名手。畫院除去組織畫家作畫外，還對有發展前途的青年人加以培養。畫家入畫院需經過考試，考題多爲詩句，如"野水無人渡，孤舟盡日橫"、"亂山藏古寺"、"踏花歸去馬蹄香"等，應試者根據詩意作畫，構思切題巧妙者録用。進入畫院後，畫家按畫藝高下授予不同職稱。宋室南遷後，仍在臨安（今浙江杭州）設立"翰林圖畫院"，許多北方的畫家亦南渡繼續在宮中供職。

此外北宋時有些文人士大夫參加到畫家的行列中來，他們將文人的意趣、愛好融合于繪畫，使得古代繪畫的面貌發生了很大的變化。他們在畫上強調作品的"士氣"、"書卷氣"，要求詩畫的結合、書畫的結合，要求畫家能將其真性情流露于筆端。他們大都以水墨作畫，不施色彩，作品情調淡雅稚拙。宋代開始出現并形成獨特風格的文人畫，對于後世繪畫的發展産生了極大的影響，逐漸成爲畫壇上最主要的流派。

下面就不同的畫科，分別介紹宋代的重要畫家及其作品。宋朝的人物風俗畫很發達。《清明上河圖》就是其中最爲著名的一幅，作者張擇端是東武（今山東諸城）人，北宋末期的畫院畫家。這件作品以長卷的形式展示了北宋都城汴梁（今河南開封）汴河兩岸豐富多采的社會生活，各階層的人物，各行當的店鋪，街道、房舍、舟車、橋梁等，都有非常真實、細緻、具體的描繪，從外城菜園小路逐漸進入內城鬧市，在拱形的上土橋左右形成畫面高潮。橋上車轎行人往來，橋下舟船擁擠，使觀畫者有身臨其境之感。這一畫卷猶如一部北宋城市生活的百科全書。作者用筆縝密、精巧，構圖富有變化，藝術上也有獨到的成就。北宋、南宋時都曾在宮中供職的李唐，擅長畫人物、山水，他的《采薇圖》，以商末周初伯夷、叔齊不食周粟的歷史故事爲題，刻畫了兩個寧死不屈的人物形象，借以諷喻投降金兵的文臣武將。南宋李嵩的《貨郎圖》，以極其細緻的筆墨描繪了一個走村串鄉的老貨郎及看到貨郎後雀躍的村婦孩童，從中可以看到社會下層人們的生活，十分難得。蘇漢臣畫的《嬰戲圖》，反映了社會生活的又一側面，這類兒童題材和當時"多子多福"的思想有關，和民間年畫也有着密切的聯繫。還有一部分人物畫，沒有留下作者姓名，如《折檻圖》，借用漢朝朱雲折檻的歷史故事，褒貶忠奸，來爲當時的政治服務。

在花鳥畫方面，北宋初期是黃筌一派的畫風占主導地位，他的兩個兒子黃居寀、黃居寶均在北宋畫院裏供職。黃居寀的《山鷓棘雀圖》，鳥雀的形象精細逼真，是一幅出色的作品。北宋中期的趙昌、崔白兩位花鳥畫家，注重寫生，以一般常見的花鳥入畫。手法上勾勒渲染并用，一反黃家的華麗畫風，而以清淡自然見長。宋徽宗趙佶（公元1082－1135年）作爲一個皇帝，政治上十分昏庸、腐敗、無能，但作爲一個書畫家却頗有建樹。趙佶自己能書善畫，他當朝時畫院人材濟濟，達到鼎盛。趙佶流傳下來的作品以花鳥畫居多，有工細設色和簡樸水墨兩種風格，有他署名的作品有《芙蓉錦鷄圖》、《柳鴉蘆雁圖》、《池塘秋晚圖》等。

宋代的山水畫風格多樣。前期的李成、范寬、郭熙，均以描繪北方山川聞名。李成善于將山川地勢和季節氣候的變化體現在畫面上，意境幽深。范寬曾經向荆浩和李成學畫，他常年生活于終南、太華諸山中，造化的神秀，使范寬的畫裏體現了關陝雄偉壯闊的美感，代表作《溪山行旅圖》畫的是頂天立地的巨山，構圖飽滿，氣象萬千，筆墨厚重雄强。郭熙是宋仁宗、神宗時的畫院畫家，河陽（今河南温縣）人，他的山水畫師法李成，以細緻精巧見長，尤擅畫秋冬季節的"寒林"，意境清新，在山石的皴法上有新的創造，所畫的枯樹形如蟹爪，很有特色，代表作品有《早春圖》、《窠石平遠圖》、《幽谷圖》等。南宋山水畫的代表畫家是"南宋四家"，即李唐、劉松年、馬遠、夏圭，他們都在畫院中供職。李唐，字晞古，河陽三城（今河南孟州）人，在山水畫法上首創"斧劈皴"，以毛筆側峰橫掃，筆觸較粗硬，表現出堅硬的石質，猶如巨斧劈出一般，山水畫代表作有《萬壑松風圖》。劉松年，臨安（今浙江杭州）人，因住在水門清波門近旁，人稱爲"暗門劉"。他學李唐的畫法，用筆更加精細秀潤。《四景山水圖》描繪臨安近郊園林別墅的四季景色，是劉松年的精心之作。馬遠，字遥父，祖籍河中（今山西永濟），出身于繪畫世家。他的山水畫在構圖、筆墨、意境方面都有新的創造。他善于將自然景色提煉、概括，構圖上多取局部入畫，集中于邊角，其餘部分則留出空白，境界開闊；用筆比李唐更加豪放，峭拔方硬，水墨淋漓。《踏歌圖》是代表馬遠畫風特點的一幅佳作。夏圭，字禹玉，也是臨安（今浙江杭州）人，作品風格和馬遠相近，構圖也喜作"邊角之景"，擅用水墨渲染，其畫法被稱之爲"拖泥帶水皴"。馬遠與夏圭由于在構圖上有新的特點，故後人戲稱他們爲"馬一角"和"夏半邊"。

文人士大夫參加繪畫創作并非始于宋朝，但此時的"文人畫"不但特點顯著，有別于宮廷院體畫和民間畫，而且還有比較系統的理論。

李公麟（公元1049－1106年），字伯時，舒城（今屬安徽）人，進士出身，擔任過官職，後隱居龍眠山，故自號"龍眠居士"。他精于書畫、文學，善鑒別古器物，與當時的著名文人王安石、蘇軾、王詵、米芾等都有交往。李公麟擅長畫人物、道釋、鞍馬，題材雖與文人經常表現的山水、花卉竹石不同，但在用筆上更加靈活多變、灑脫疏率，具有文人畫意趣。代表作有《五馬圖》、《臨韋偃牧放圖》等。蘇軾（公元1036－1101年），字子瞻，號東坡居士，眉山（今屬四川）人，是著名的文學家、詩人和書法家。他所畫的《枯木怪石圖》，用粗疏似乎漫不經心的筆墨畫了一株彎曲盤繞的枯樹，注重畫面的稚拙情趣，而對樹石的造型并不講究。他是這一時期典型的文人畫家。與蘇軾同時的文同（公元1018－1079年），字與可，號石室先生，永泰（今四川鹽亭）人，亦能詩善書，尤擅畫竹，純用水墨，不施色彩，隨意揮灑，表現出了竹子的神韵和性格，對于元朝的墨竹畫有很大的影響。南宋的揚無咎（公元1097－1169年）則以畫墨梅而著名，他用筆勾勒出空白的花朵，顯示梅花的清淡幽雅、樸實無華。畫上題詩，詩畫交相輝映，代表作有《雪梅圖》、《四梅圖》等。南北宋之交的米芾、米友仁父子，則以水墨山水畫獨樹一幟。米芾（公元1051－1107年），字元章，籍太原（今屬山西），後居潤州（今江蘇鎮江），是著名的書法家。米友仁（公元1074－1153年），亦以書畫聞名。他們的山水畫表現烟雲變幻的江南景色，山石的形狀和輪廓用無數大小不等、濃淡不同的墨點畫出，再以淡墨籠染，給人朦朧迷茫之感，風格獨具。米芾自稱其畫爲"墨戲"，後人則稱之爲"米點"或"米家山水"。

公元1279－1368年，蒙古貴族建立的元朝政權統治了整個中國。元朝也曾在皇宮内徵召畫家爲宮廷服務，但沒有宋朝"翰林圖畫院"這種專門機構，人數及繪畫水平與宋朝相比距離甚大。繪畫創作大量活躍于士人和民間。由于衆多的文人士大夫參加到畫家的行列中來，就使宋朝蘇軾、文同、米芾、米友仁等人所開創的水墨竹石、山水畫在元朝得到了很大的發展，占據了畫壇的重要位置。

錢選和趙孟頫是元初的著名畫家。二人是同鄉，均爲湖州（今屬浙江）人，文章書畫同時齊名，列入"吳興八俊"中。錢選，生于南宋，卒于元，字舜舉，號玉潭、雪川翁。南宋滅亡後，他"隱于繪事以終其身"，故其人品畫格都很得人們推崇。錢選擅長畫人物、花鳥和山水，作品雖然多爲設色畫，但色彩素雅，含有文人的情趣，不同于前人。《浮玉山居圖》和《山居圖》，描繪山川景物，寄托了作者隱居避世的思想感情。

趙孟頫（公元1254－1322年）是元朝最有影響的大書畫家。他是宋朝皇室的後裔，字子昂，號松雪、水晶宮道人等。趙孟頫年輕時受過良好的教育，在家鄉名聲很大。所以當元世祖忽必烈爲穩固統治，緩和當時尖銳的民族矛盾而下令在漢族士人中求賢時，趙孟頫便被推荐來到了大都（今北京）做了元的官。但他因前朝宗室和南人身份，不斷受到蒙古貴族的猜忌和排擠，無法施展其抱負。在這種環境裏趙孟頫就將極大的精力投入到了繪畫、書法的研習和創作中，取得了巨大的成就。

繪畫題材的廣泛和繪畫面貌的多樣是趙孟頫繪畫藝術的特點。他既能畫筆緻工細、青綠重彩的人物山水畫，又能作水墨粗簡的山水竹石畫。《紅衣天竺僧》、《秋郊飲馬圖》等是前者的代表；《古木竹石圖》、《鵲華秋色圖》等是後者的代表。趙孟頫對于繪畫創作還有不少見解，見于他的題跋和詩文中。如他要求作品具有“古意”，追求唐畫的風貌；他強調繪畫與書法用筆相同互通，這些都給予後世文人畫的創作和理論以巨大的影響。

元代的山水畫以“元四家”爲代表，他們是黃公望、吳鎮、王蒙和倪瓚。黃公望（公元1269－1354年），字子久，號大痴、一峰，常熟（今屬江蘇）人，一度任小吏，一度又曾入獄，晚年往來于江浙，領略江南的山水風光，所以他的作品大都是親眼目睹之勝景，質樸、天然。如《富春山居圖》，以長卷形式，畫了富春江沿岸多姿的自然景色，筆墨蒼勁、渾厚。觀畫者好像是個旅游者，跟隨作者邊走邊看，美景目不暇接。《天池石壁圖》，是黃公望七十三歲時的作品，所畫也爲實景，構圖繁複而筆墨簡練，氣勢雄偉。《九峰雪霽圖》是黃公望爲數甚少的雪景畫之一，用筆簡逸，皴法較少而渲染較多，表現了江南山林雪天的奇景，藝術水平很高。這幅畫畫于至正九年（公元1349年），黃公望時年八十一歲，用筆蒼勁渾厚，毫無頹老之意。黃公望的山水畫以水墨爲主，再略敷淡赭色，風格獨特，人稱之爲“淺絳山水”。吳鎮（公元1280－1354年），字仲圭，號梅花道人，嘉興（今屬浙江）人，一生清貧，博學多識，常年在錢塘（今浙江杭州）賣卜、賣畫爲生。吳鎮的作品多爲山水和竹石，畫風清淡、空靈，透露出一股隱逸、超脫的氣息，其代表作有《漁父圖》、《蘆花寒雁圖》、《秋江漁隱圖》等。王蒙（公元？－1385年），字叔明，湖州（今屬浙江）人。晚年隱居黃鶴山（在今浙江餘杭縣），故自號黃鶴山樵。入明後王蒙一度任泰安知州，後因胡惟庸案件的牽連，被捕入獄，死于牢房中。王蒙是趙孟頫的外孫，繪畫上受趙的影響。他所畫山水樹石，喜用細密的枯筆，反復皴擦，畫面層次繁多，能表現出南方林木葱鬱、蒼翠的特色。王蒙的作品多借山水來抒發出世隱遁的思想，像《青卞隱居圖》、《夏山高隱圖》、《夏日山居圖》等，都是表現類似主題的作品。倪瓚（公元1301－1374年），字元鎮，號雲林，無錫（今屬江蘇）人。倪瓚家中廣有田產，元末時預感到動亂局勢的出現，將家產變賣，自己則浪游于山林寺廟間，被人視作“高士”。他擅長將江南湖山小景入畫，多用水墨，極少施色彩。畫面的意境平遠開闊，杳無人迹，有一種荒寒蕭索的情調，與他的思想極爲吻合。“元四家”的作品，對于明清山水畫的發展，起到了極大的作用，他們用筆用墨的特點和畫面的情調趣味，被以後很多畫家視爲楷模，竭力加以追求和摹仿。從“元四家”開始而形成的文人山水畫是山水畫的主流。

元朝山水畫家還有高克恭、唐棣、盛懋、孫君澤等人，作品風格面貌不同，也都具有一定成就。元朝的花木鳥獸畫也有新的發展。其中一部分畫家繼承唐宋工筆重彩的畫法，如任仁發（公元1254－1327年）、任賢佐父子。任仁發字子明，號月山道人，松江（今屬上海）人，曾經參與大都水利工程的建設，并著有《浙西水利議答錄》一書。他擅長畫人物和花鳥走獸，畫風工整細緻，綫條流暢，富有表現力，色彩鮮艷悅目，近似五代黃筌的畫風。代表作品有《出圍圖》、《二馬圖》、《秋水鳧鷺圖》。《二馬圖》畫肥馬、瘦馬各一匹，根據作者畫後自題，圖中以肥馬比喻貪官，以瘦馬比喻清官，褒貶鮮明，在鳥獸畫中別具一格。任賢佐繼承家學，也擅長畫馬。還有一部分畫家探索新的表現手法，發展和完善了水墨渲染的畫技，使花鳥畫有了新的面貌。陳琳、王淵、邊魯等是這一畫風的代表。他們的作品注重水墨渲染和綫條的黑白效果，用筆靈活多變，和"元四家"的山水畫有异曲同工之妙，給人以清新淡雅之感。陳琳的《溪鳧圖》，王淵的《竹石集禽圖》、《山桃錦鷄圖》，邊魯的《起居平安圖》等，均爲水墨花鳥畫中的精品。

元朝畫壇上還大量出現了竹石畫。竹子清秀挺拔的風姿，枝節分明的形狀，被文人所推崇，他們將竹子這種植物的自然屬性比擬爲一個文人應當具備的品德（如清高、重節等）。所以自北宋文同、蘇軾開創這一題材後，到了元朝，由於嚴酷的民族鬥爭的環境所致而出現了高潮，涌現了許多專長畫竹的畫家。除前文提及的趙孟頫、吳鎮外，還有李衎、柯九思、顧安、張遜等人，都是畫竹的能手。元末的王冕，以畫水墨梅花聞名，他曾有題畫詩："冰花個個圓如玉，羌管吹他不下來。"雖然畫的是花，却寄托了作者鮮明的民族感情。

元朝的人物畫，相對于山水、花鳥、竹石畫來說，成績不是十分顯著。比較重要的畫家有顏輝、王振鵬、張渥等。顏輝多以道教題材入畫，"八仙"的形象經常出現在他的筆端。他畫的《李仙像》，爲"八仙"中的李鐵拐，人物表情嚴峻，雙眉緊皺，目光深邃，似乎陷入了沉思。粗獷的用筆，墨色的渲染，都加強了畫面的感染力，是一幅很有特色的人物畫。王振鵬的《伯牙鼓琴圖》，沿用唐宋以來的"白描"畫法，充分地發揮了綫條的魅力，將兩位以琴聲傳遞感情互爲知音的古代名士伯牙與子期的形象，刻畫得非常成功。

元末農民起義推翻了元朝蒙古貴族的統治，朱元璋在南京建立了明朝。朱元璋的兒子燕王朱棣于永樂十九年（公元1421年）又將都城遷到北京。在明王朝統治的二百七十餘年間，畫壇上呈現出畫派紛呈的局面。

明代前期以宮廷和"浙派"繪畫影響最大。明初仿照宋朝舊制，在宮內也徵召許多畫家供職，但管理機構與宋代不同，無"翰林圖畫院"之設。供職宮廷的畫家歸御用監的太監管轄，并且授予錦衣衛的武職，做法很特別。宮廷繪畫以人物畫和花鳥畫成就較高。

人物畫大都借用歷史故事來爲當時的需要服務。商喜的《關羽擒將圖》，畫三國蜀漢大將關羽水淹曹魏七軍，生擒龐德的故事。作者把蜀漢作爲正統，描繪關羽威嚴勇猛的形貌，周倉、關平手持刀劍立左右。被俘的龐德剝去衣褲捆縛于木椿上，倔強不屈的形象刻畫得也十分生動。倪端的《聘龐圖》，以三國時荆州刺史劉表聘請隱士龐德公的故事爲題。圖中的龐德公作村夫打扮，劉表衣冠整齊、態度恭敬，山石以渾厚的皴法畫出，着意描畫了隱居的環境。以上畫幅或表彰統治者禮賢下士，或表彰武將勇武忠義，或表彰文官清正廉明，其"教化"目的都是顯而易見的。

宮廷花鳥畫以林良、呂紀的作品最爲出衆。林良（公元15世紀），字以善，南海（治今廣東廣州）人。他擅長水墨寫意畫法，用筆縱健豪爽，風格獨特。《灌木集禽圖》以長卷形式表現衆多禽鳥于枝葉間飛翔騰躍的場面，充滿了自然界生動活潑的情趣。呂紀稍晚于林良，字廷振，鄞縣（今浙江寧波）人，曾向林良學畫，早期作品用筆較爲放縱，後來爲適應宮廷豪華的要求，改而學宋代"院體"花鳥畫，筆墨工細，色彩華麗，《桂菊山禽圖》、《柳陰白鷺圖》、《梅茶雉雀圖》等，是他的代表作。

"浙派"是以戴進爲首的繪畫流派。戴進（公元1388－1462年），字文進，號静庵，錢塘（今浙江杭州）人，早年是製作金銀器的工匠，後改學繪畫，兼師北宋郭熙和南宋馬遠、夏圭，用筆比較放縱，多作"斧劈皴"。作品面貌較多，能自成一家。戴進一度進入宮廷，遭到讒忌，迴到民間，以賣畫爲生。追隨戴進畫風的畫家形成"浙派"。《達摩六祖圖》、《關山行旅圖》和《葵石蛺蝶圖》等，可以分別代表戴進在人物、山水諸方面的成就。戴進之後的張路、汪肇、吳偉等人，所作皆從戴進而出，而畫風更加狂放，他們的作品可以看作是"浙派"的餘脉。其中吳偉成就較高。吳是江夏（今湖北武昌）人，故又將他稱爲"江夏派"的開創者。"浙派"作爲一個繪畫流派經歷了發生、發展和衰敗的過程，其後期，畫風陳陳相因，一味追求狂怪，終于被新的繪畫流派所替代。

明朝中期的蘇州，手工紡織業極爲發達，又有許多文人和書畫家聚集在這裏，逐漸成爲江南的經濟文化中心。衆多畫家中最爲著名并有巨大影響的是沈周、文徵明、唐寅和仇英四人，他們被稱做"吳門四家"。沈周最年長（公元1427－1509年），字啓南，號石田，長洲相城（今屬江蘇蘇州）人，文化修養很高，詩文書畫均有成就，一生布衣，是個典型的文人畫家。沈周從青少年時就顯露才華，年長後曾拒絕郡守的徵召，隱居耕讀，以書畫自娛。他的作品以前代畫家董源、巨然、黃公望、吳鎮爲宗，發展了水墨山水和花卉的畫法，使之更加適宜表現江南水鄉淡雅、清秀的景色，并通過繪畫反映出作者隱退、寡欲的内心感情。他的很多作品描繪江南湖山勝景和文人的悠閑生活，如《東莊圖》、《湖山佳趣圖》等。文徵明（公元1470－1559年），字徵仲，長洲（今江蘇蘇州）人，出身于官宦之家，年輕時學畫于沈周，應過科舉考試，但未被録取，後潛心于書畫藝術。文徵明五十四歲時，被薦至京師，授官翰林待詔，任官期間，目睹仕途險惡，官場黑暗，以身體有病堅決辭官南歸。此後三十多年，一直在家鄉沉醉于書畫中。文徵明的作品有粗細兩種面貌，但無論粗筆畫、細筆畫都具有文雅恬静的書卷氣，題材内容與沈周相似。《惠山茶會圖》、《古木寒泉圖》、《虎山橋圖》等畫幅，反映的都是文人的生活和情趣。唐寅（公元1470－1523年），字子畏、伯虎，號六如居士，吳縣（今屬江蘇蘇州）人，其父爲商賈。唐寅少年時即負才名，與蘇州的名士沈周、徐禎卿等均有交往。年長後一度熱衷科舉功名，并在會試時得中第一名，但因爲牽涉進了別人的科場舞弊案而被革除功名。此後唐寅行爲放蕩不羈，玩世不恭，雲游名山大川。唐寅繪畫方面的老師是周臣，傳授給他南宋院體的畫風，在唐寅的山水畫上可以明顯看到李唐、劉松年的影響。此外他的仕女畫、花鳥畫也頗有成就。《山路松聲圖》、《事茗圖》、《孟蜀宮妓圖》等作品代表了唐寅作品的特色。仇英（公元？－約1552年），字實父，號十洲，太倉（今屬江蘇）人，寓居蘇州。他原先爲漆工，後廣泛臨摹了唐宋人的作品，充實了技藝，以工筆重彩畫著稱，在四家中獨樹一幟。代表作有《桃源仙境圖》和《柳下眠琴圖》等。

明朝後期的陳道復和徐渭，是水墨寫意畫的代表畫家。陳道復（公元1483－1544年），字復甫，號白陽山人，長洲人，曾經跟隨文徵明學畫，後自闢新徑。他擅長畫山水及花卉，作品水墨淋漓，痛快酣暢。徐渭（公元1521－1593年），字文長，號天池山人、青藤道士，山陰（今浙江紹興）人，年輕時熱衷功名，但頗不得志，中年後在浙閩總督胡宗憲幕下效力，胡宗憲被捕後，徐渭怕受到牽連，十分恐懼，精神失常，誤殺其妻，被關押了七年，出獄後以出賣字畫度日。他的水墨寫意花鳥畫，筆墨恣縱，瀟灑飄逸，名重一時。陳道復和徐渭對于水與墨的運用和紙張性能的掌握都達到了自如的地步，推動和發展了這一技法，并給予後世以巨大的影響。陳道復的《罨畫山圖》、《雪渚驚鴻圖》，徐渭的《墨葡萄圖》、《牡丹蕉石圖》等均爲精品。

滿族統治者入關建立了清朝，許多漢族的知識分子，不願與新的統治者合作而成爲遺民。一些人投入了宗教的懷抱，作爲逃避現實的手段，他們當中不少是畫家，如陳洪綬、弘仁、髡殘、朱耷、原濟等。陳洪綬（公元1598－1652年），字章侯，號老蓮，諸暨（今屬浙江）人，清兵南下浙江，他在紹興出家爲僧，不久還俗，自號悔遲，以賣畫爲生。陳洪綬的作品風格奇特，形象誇張變形，綫條圓勁，色彩富麗，有着很強的裝飾效果；繪畫的題材也相當廣泛，人物、花鳥、山水均有佳作傳世。弘仁（公元1610－1664年），俗姓江，名韜，字六奇，歙縣（今屬安徽）人。清兵南下時他遠遁浙、閩，後來看到江山易人，便在武夷山出家當了和尚，釋名弘仁，號漸江，足迹遍及南京、杭州、揚州、宣城、蕪湖等地。他擅長畫山水、梅花，繼承元朝倪瓚的畫法，用筆清冷峭拔，但能除去倪畫中不食人間烟火的情調，賦予畫面生氣。他在安徽生活的時間很長，所以許多作品都描繪了黄山的松石與雲海。髡殘（公元1612－1692年後）俗姓劉，武陵（今湖南常德）人。他曾參加過抗清的武裝鬥爭，失敗後逃入深山，自己剪髮當了和尚，後雲游四方，順治十一年（公元1654年）到南京主持牛首山祖堂寺。他一直保留了强烈、鮮明的民族意識，結交了許多明朝的遺民。髡殘的山水畫，境界幽深奇奧，墨色蒼莽沉厚，《茂林秋樹圖》、《雲洞流泉圖》等均爲佳作。朱耷（公元1626－1705年）是明朝皇族的後裔，南昌（今屬江西）人，明亡後他從一個王孫貴族跌落成异族統治下的平民，地位的急劇變化，對他的思想有很大刺激，時瘋時啞，最後出家爲僧，號八大山人。他的花鳥畫豪放、簡練，畫中的小魚、小鳥，以方硬的筆墨畫出眼框，再用濃墨在眼框邊緣點出眼珠，個個白眼朝天，露出反抗與不滿的神情。畫的雖然是動物，但無疑是他内心感情的表露。原濟（公元1642－1707年），原名朱若極，也是明朝皇族後裔，廣西人，他父親在明末爭權奪利中被殺，年幼的朱若極由内官保護逃脱，後來出家當了和尚，號石濤、清湘陳人、苦瓜和尚等，先後到過廬山、黄山、南京，晚年居揚州。原濟擅長畫山水、梅竹，山水畫富有想象力，筆墨恣縱，充滿激情。他提出的“搜盡奇峰打草稿”、“我自用我法”等主張，對于推動山水畫的發展，起到了積極的作用。

活躍于清初畫壇的畫家還有“金陵八家”和“四王吴惲”。“金陵八家”指的是聚集在南京的龔賢、樊圻、鄒喆、吴宏、胡慥、高岑、葉欣和謝蓀八位畫家，都以畫山水爲主，作品取材于南京周圍的實景，具有地方特色。其中龔賢（約公元1618－1689年）的成就最高，個人風格非常明顯。他畫的《攝山棲霞圖》、《溪山無盡圖》等，濃淡墨反復皴染，畫面厚重濃鬱，在“米家山水”的基礎上又有新的進步。“四王吴惲”指的是王時敏、王鑑、王翬、王原祁四位姓王的畫家，再加上吴歷和惲壽平。除惲壽平以畫花卉知名外，餘者都是山水畫家。“四王”的山水畫以元朝淺絳山水爲宗，強調師承，偏重臨摹，筆墨功力深厚，作品面貌變化較少。王時敏（公元1592－1680年），字遜之，號烟客，太倉（今屬江蘇）人，家中富有，祖上爲官宦，入清後隱居不出；王鑑（公元1598－1677年），字圓照，號湘碧，與王時敏同族，雖然輩份低，但年齡相仿，二人經常切磋畫藝，畫風相互影響。王翬（公元1632－1717年）字石谷，號耕烟山人、烏目山人等，常熟（今屬江蘇）人，早年曾得到王時敏、王鑑的賞識和提携，在他們家中看到許多宋元名迹，刻意臨摹，畫藝提高很快。他能融匯各家之長，形成自己秀潤多姿的畫風，一時名氣很大，康熙皇帝特地召他進京主繪《康熙南巡圖》十二巨卷。王翬的門生弟子很多，稱爲"虞山派"。吳歷（公元1632－1718年），字漁山，號墨井道人，他的山水畫雖然也多從元人脱化而來，但頗多寫生之作，故有生動自然之趣。吳歷中年時加入了天主教，成爲神職人員，在上海、嘉定一帶傳教達三十年，他的這一經歷在明末清初衆多畫家中是僅有的。惲壽平（公元1633－1690年），字正叔，號南田，武進（今屬江蘇）人，少年時隨父參加抗清鬥争，失敗後父子失散，被一清朝軍官收養，經靈隱寺和尚相助，父子重新團圓，經歷曲折坎坷，富有傳奇色彩。他的花卉畫以色和墨塑造形象，極少用勾勒，生動自然，淡雅清新，無艷俗之感。

清朝仿照前代也廣泛徵召畫家到宮中供職，雍正、乾隆時專門設立畫院處、如意館等機構，組織畫家進行創作。由于若干歐洲傳教士畫家在宮廷中活動，所以宮廷繪畫形成了中西畫風交匯融合的新面貌。重要的宮廷畫家有焦秉貞、冷枚、陳枚、唐岱、丁觀鵬、余省、金廷標、張宗蒼等人；外國畫家有意大利人郎世寧，法蘭西人王致誠、賀清泰，波希米亞人艾啓蒙等。作品除大量裝飾殿堂及供皇帝觀賞的山水花鳥畫外，還有不少以當時的人和事爲題的紀實性作品；畫風細膩，真實感極强，具有重要的歷史價值。

揚州地近東海，位于長江和大運河的交匯處，素來是南方的繁華都會，雖然明末清初時遭到戰亂的破壞，但經過半個多世紀，到了雍正、乾隆時又重現了昔日的盛況。經濟的復蘇帶來了文化的繁榮，文人畫家紛紛會聚在這裏，揚州畫壇呈現出各類畫風爭奇鬥妍的局面。被稱爲"揚州八怪"的一批畫家，在寫意花鳥、竹石畫上作了新的探索，餘風波及今日。"揚州八怪"一般是指汪士慎、李鱓、黄慎、金農、高翔、鄭燮、李方膺和羅聘八位畫家，他們出身平民，爲人及畫風都非常接近。汪士慎（公元1686－約1762年），字近人，號巢林，籍安徽，寓居揚州，擅長畫花卉，尤工梅花，筆墨清勁。李鱓（公元1686－1762年），字宗揚，號復堂，興化（今屬江蘇）人，一度進入宮廷作畫，後任知縣，被免職退居揚州賣畫爲生，擅長寫意花鳥，落筆瀟灑。黄慎（公元1687－約1770年），字恭懋，號瘦瓢子，寧化（今屬福建）人，長住揚州賣畫，擅長畫人物、山水、蔬果。金農（公元1687－1763或1764年），字壽門，號冬心先生，仁和（今浙江杭州）人，中年以後開始學畫，畫風古拙。高翔（公元1688－1753年）字鳳崗，號西唐，揚州人，曾隨原濟學畫，擅長作山水，兼能畫梅。鄭燮（公元1693－1765年），字克柔，號板橋，興化（今屬江蘇）人，擔任知縣時因得罪上司被罷官，回到揚州賣畫度日。他的竹石蘭花畫，風格清秀，獨具面貌。李方膺（公元1695－1755年），字虯仲，號晴江，通州（治今江蘇南通）人，一度任官，去官後往來于南京、揚州，擅長畫松竹梅蘭，下筆豪放。羅聘（公元1733－1799年），字遯大，號兩峰，金農的學生，擅長畫人物、梅竹、山水。

　　鴉片戰爭後，上海成為對外通商口岸，經濟得到畸形發展，城市人口增多。畫壇的重心也隨着從揚州等地轉移到了上海，形成了所謂"海派"繪畫。畫派中的佼佼者有虛谷、任熊、任薰、任頤、胡遠、趙之謙、蒲華、錢慧安等人，以上這些畫家的作品不論是人物故事畫還是花卉鳥獸畫，都以通俗易懂的內容、生動活潑的形象和鮮明豐富的色彩博得城市居民的喜愛，它們不但構成晚清繪畫的特色，而且也為現代繪畫的進一步發展奠定了基礎。

目　　録

戰國至西漢 (公元前四七五年至公元八年)

兩晉南北朝 (公元二六五年至公元五八九年)

隋唐 (公元五八一年至公元九〇七年)

頁碼	名稱	時代	作者	來源	收藏地
99	香爐獅子鳳凰圖	唐	佚名	甘肅敦煌莫高窟藏經洞	英國倫敦大英博物館
100	那羅延天像	唐	佚名	甘肅敦煌莫高窟藏經洞	英國倫敦大英博物館
100	羅漢	唐	佚名	新疆高昌故城遺址	德國柏林印度藝術博物館
101	舞蹈惡鬼	唐	佚名	新疆高昌故城遺址	德國柏林印度藝術博物館
101	菩薩頭像	唐	佚名	新疆高昌故城遺址	德國柏林印度藝術博物館
102	南詔圖傳	南詔	佚名		日本京都藤井有鄰館

五代十國 (公元九○七年至公元九六○年)

頁碼	名稱	時代	作者	來源	收藏地
104	十六羅漢圖	五代十國	貫休（傳）		日本東京根津美術館等
106	牡丹圖	五代十國	滕昌祐（傳）		臺北故宮博物院
106	雪景山水圖	五代十國	荊浩（傳）		美國堪薩斯納爾遜-艾金斯美術館
107	匡廬圖	五代十國	荊浩		臺北故宮博物院
108	關山行旅圖	五代十國	關仝（傳）		臺北故宮博物院
109	秋山晚翠圖	五代十國	關仝（傳）		臺北故宮博物院
109	山溪待渡圖	五代十國	關仝（傳）		臺北故宮博物院
110	八達春游圖	五代十國	趙喦（傳）		臺北故宮博物院
111	調馬圖	五代十國	趙喦（傳）		上海博物館
111	射騎圖	五代十國	李贊華		臺北故宮博物院
112	東丹王出行圖	五代十國	李贊華（傳）		美國波士頓美術館
113	回獵圖	五代十國	胡瓌（傳）		臺北故宮博物院
114	卓歇圖	五代十國	胡瓌		故宮博物院
116	番騎圖	五代十國	胡瓌（傳）		故宮博物院
118	瀟湘圖	五代十國	董源		故宮博物院
120	夏山圖	五代十國	董源		上海博物館
122	夏景山口待渡圖	五代十國	董源		遼寧省博物館
124	寒林重汀圖	五代十國	董源		日本東京黑川古文化研究所
124	溪岸圖	五代十國	董源（傳）		美國紐約大都會博物館
125	龍宿郊民圖	五代十國	董源（傳）		臺北故宮博物院
126	韓熙載夜宴圖	五代十國	顧閎中		故宮博物院
131	寫生珍禽圖	五代十國	黃筌		故宮博物院

遼北宋西夏金南宋 (公元九一六年至公元一二七九年)

頁碼	名稱	時代	作者	來源	收藏地
167	山弈候約圖	遼	佚名	遼寧法庫縣葉茂臺7號遼墓	遼寧省博物館
168	竹雀雙兔圖	遼	佚名	遼寧法庫縣葉茂臺7號遼墓	遼寧省博物館
169	采藥圖	遼	佚名	山西應縣佛宮寺	山西省應縣佛宮寺文物保管所
170	丹楓呦鹿圖	遼	佚名		臺北故宮博物院
171	秋林群鹿圖	遼	佚名		臺北故宮博物院
172	茂林遠岫圖	北宋	李成		遼寧省博物館
174	讀碑窠石圖	北宋	李成 王曉		日本大阪市立美術館
175	群峰霽雪圖	北宋	李成（傳）		臺北故宮博物院
175	寒林圖	北宋	李成（傳）		臺北故宮博物院
176	山鷓棘雀圖	北宋	黃居寀		臺北故宮博物院
177	溪山行旅圖	北宋	范寬		臺北故宮博物院
178	雪景寒林圖	北宋	范寬（傳）		天津博物館
179	雪山蕭寺圖	北宋	范寬（傳）		臺北故宮博物院
180	沙汀煙樹圖	北宋	惠崇（傳）		遼寧省博物館
181	溪山樓觀圖	北宋	燕文貴		臺北故宮博物院
182	江山樓觀圖	北宋	燕文貴		日本大阪市立美術館
184	江山放牧圖	北宋	祁序		故宮博物院
187	朝元仙仗圖	北宋	武宗元		美國私人處
190	夏山圖	北宋	屈鼎		美國紐約大都會博物館
190	秋山蕭寺圖	北宋	許道寧		日本京都藤井有鄰館
192	秋江漁艇圖	北宋	許道寧		美國堪薩斯納爾遜–艾金斯美術館
193	十咏圖	北宋	張先（傳）		故宮博物院
194	春山圖	北宋	燕肅（傳）		故宮博物院
194	蛺蝶圖	北宋	趙昌（傳）		故宮博物院
196	歲朝圖	北宋	趙昌（傳）		臺北故宮博物院
197	猴貓圖	北宋	易元吉		臺北故宮博物院
198	聚猿圖	北宋	易元吉		日本大阪市立美術館
199	寒雀圖	北宋	崔白		故宮博物院
200	雙喜圖	北宋	崔白		臺北故宮博物院

人物龍鳳圖

戰國

出土于湖南長沙市陳家大山楚墓。

高31.2、寬23.2厘米。

絹本，水墨。

現藏湖南省博物館。

戰國至西漢（公元前四七五年至公元八年）

人物御龍圖

戰國

出土于湖南長沙市子彈庫1號墓。

高37.5、寬28厘米。

絹本，水墨淡設色。

現藏湖南省博物館。

馬王堆1號漢墓T形帛畫

西漢
出土于湖南長沙市馬王堆1號漢墓。
高205、上寬92、下寬47.7厘米。
絹本，設色。
現藏湖南省博物館。

戰
國
至
西
漢
（
公
元
前
四
七
五
年
至
公
元
八
年
）

馬王堆1號漢墓T
形帛畫局部

馬王堆1號漢墓T
形帛畫局部

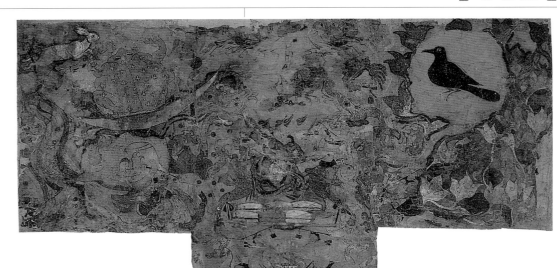

馬王堆3號漢墓T形帛畫

西漢

出土于湖南長沙市馬王堆3號漢墓。

高233、上寬141、下寬50厘米。

絹本，設色。

現藏湖南省博物館。

戰國至西漢（公元前四七五年至公元八年）

馬王堆3號漢墓T形帛畫局部

太一將行圖（殘片）

西漢

出土于湖南長沙市馬王堆3號漢墓。

高43.5、寬45厘米。

絹本，設色。

現藏湖南省博物館。

禮儀圖
西漢
出土于湖南長沙市馬王堆3號漢墓。
高94、寬212厘米。
絹本，設色。
現藏湖南省博物館。

導引圖（殘片）
西漢
出土于湖南長沙市馬王堆3號漢墓。
全圖高53、寬110厘米。
絹本，設色。
現藏湖南省博物館。

戰國至西漢（公元前四七五年至公元八年）

**車馬游樂圖
（殘片）**

西漢
出土于湖南長沙市馬
王堆3號漢墓。
高68.7、寬34.9厘米。
絹本，設色。
現藏湖南省博物館。

**划船游樂圖
（殘片）**

西漢
出土于湖南長沙市馬
王堆3號漢墓。
高17.2、寬33.7厘米。
絹本，設色。
現藏湖南省博物館。

金雀山帛畫

西漢
出土于山東臨沂市金雀山9號漢墓。
高200、寬42厘米。
絹本，設色。
現藏山東省博物館。

金雀山帛畫局部

墓主人生活圖
西晋
出土于新疆吐魯番市阿斯塔那。
高46.2、寬105厘米。
紙本，設色。
現藏新疆維吾爾自治區博物館。

兩晋南北朝（公元二六五年至公元五八九年）

■ 顧愷之（約公元345－406，一作348－409年）

東晋畫家。晋陵無錫（今屬江蘇）人。字長康，小名虎頭。博學多才，工詩賦、書法，尤精繪畫，擅長人物肖像及神仙佛像、禽獸、山水等。畫人注重神氣的刻畫，自謂“傳神寫照，正在阿堵（即這個，指眼珠）

中”。史稱曹不興、顧愷之、陸探微和張僧繇爲“六朝四大家”。著有《論畫》、《畫雲臺山記》、《魏晋勝流畫贊》等論畫著作。其中“遷想妙得”、“以形寫神”等論點，對後世中國畫的發展有很大影響。

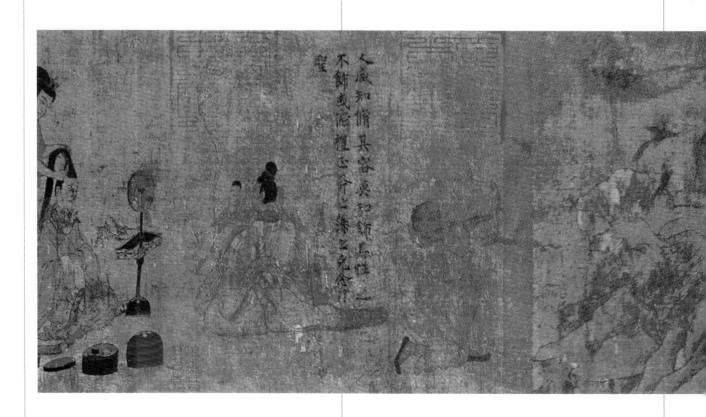

女史箴圖
東晉
顧愷之

高24.8、寬348.2厘米。
絹本，設色。唐摹本。
現藏英國倫敦大英博物館。

女史箴圖之一

女史箴圖之二

歡不可以瀆寵不可以專實生慎愛則極
遠致盈必損理之固然美者自美翻以
取尤冶容求好君子所讎結恩而絕寔
此之曲

勿謂幽昧神聽無謹無矜爾榮天道惡
盈無恃爾貴隆者鑒于小星武陵班
遂厄心盈新則繁不類

女史司箴敢告庶姬

顧愷之畫

出其言善千里應之苟違斯義
同衾以疑

女史箴圖之三

歡不可以瀆寵不可以專實生慢驕愛則極
邅致盈必損理之固然美者自美翩以
取尤冶容求好君子所仇結恩而絕纏
此之由

故曰翼翼矜矜福所以興靜恭自思榮顯所期

女史箴圖之四

洛神賦圖

東晉
顧愷之

高27.1、寬572.8厘米。
絹本，設色。宋摹本。
現藏故宮博物院。

洛神賦圖
東晉
顧愷之

洛神賦圖之一

洛神賦圖之二

兩晋南北朝（公元二六五年至公元五八九年）

兩晋南北朝（公元二六五年至公元五八九年）

洛神賦圖之三

洛神賦圖之四

洛神賦圖之五

洛神賦圖之六

洛神賦圖（局部）

東晉
顧愷之
全圖高26.3、寬646.1厘米。
絹本，設色。宋摹本。
現藏遼寧省博物館。

洛神賦圖局部之一

洛神賦圖局部之二

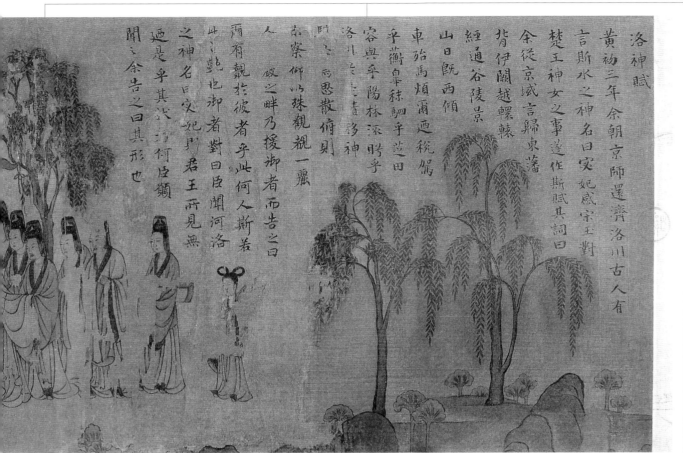

洛神賦

黃初三年余朝京師還濟洛川古人有
言斯水之神名曰宓妃感宋玉對
楚王神女之事遂作斯賦其詞曰
余從京域言歸東藩
背伊闕越轘轅
經通谷陵景
山日既西傾
車殆馬煩爾迺稅駕
平衡皋秣駟乎芝田
容與乎陽林流眄乎
洛川於是精移神
駭乎而思散俯則
未察仰以殊觀覩一麗
人於嚴之畔乃援御者而告之曰
爾有覿於彼者乎此何人斯若
此乾也御者對曰臣聞河洛
之神名曰宓妃然則君王所見無
迺是乎余告之曰其形也
聞之余告之曰其形也

夜耿耿而不寐沾
繁霜而至曙命
僕夫以就駕吾
將歸乎東路

洛神賦圖局部之三

洛神賦圖局部之四

其靈體之遒
形御輕舟而
上溯浮長川
而忘反思綿
綿而增慕

攬
騑轡而抗

兩晉南北朝（公元二六五年至公元五八九年）

列女仁智圖

東晋

顧愷之

高25.8、寬470.3厘米。

絹本，設色。宋摹本。

現藏故宮博物院。

斲琴圖
東晉
顧愷之（傳）
高29.4、寬130厘米。
絹本，設色。
現藏故宮博物院。

蕭 繹（公元508－554年）

南朝畫家。即梁元帝。南蘭陵（今江蘇常州西北）人。字世誠。擅書畫，冠絕一時。曾畫《宣尼像》，并自書贊，時人稱爲"三絕"。

職貢圖（局部）

南朝

蕭繹

全圖高25、寬198厘米。

絹本，設色。宋摹本。

現藏中國國家博物館。

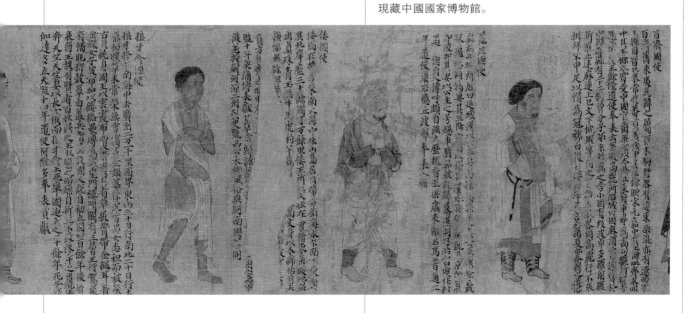

兩晋南北朝（公元二六五年至公元五八九年）

校書圖

北齊

佚名

高27.6、寬114厘米。

絹本，設色。宋摹本。

現藏美國波士頓美術館。

▌展子虔

隋代畫家。生卒年不詳。歷北齊、北周，入隋任朝散大夫。擅畫人物、山水及雜畫。人物描法細緻，以色暈染面部；畫馬立者有走勢，臥者有起躍之狀；寫山川遠近，有咫尺千裏之勢。曾在洛陽、長安、江都等地寺院繪佛教壁畫。

游春圖

隋

展子虔

高43、寬80.5厘米。

絹本，設色。有學者認爲此畫非隋代作品，而爲宋摹唐畫。現藏故宮博物院。

■ 閻立德（公元？–656年）

　　唐代畫家。雍州萬年（今陝西西安）人。名讓，以字行。與父毗、弟立本，皆長于繪畫、工藝和建築。善畫人物故事、樹木禽獸，李嗣真譽其"象人之妙，號爲中興"。

■ 職貢圖

唐
閻立德（傳）
高61.3、寬191.5厘米。
絹本，設色。
現藏臺北故宮博物院。

■ 閻立本（公元？–673年）

　　唐代畫家。雍州萬年（今陝西西安）人。與父毗、兄立德俱擅工藝、建築和繪畫，馳名隋、唐間。工書法，擅畫人物、車馬、臺閣，取法張僧繇、鄭法士，而能"變古象今"，筆力圓勁雄渾，尤精肖像，善刻畫性格。有"丹青神化"、"冠絕古今"之譽。

■ 鎖諫圖（局部）

唐
閻立本（傳）
全圖高36.9、寬207.9厘米。
絹本，設色。有學者認爲是明代摹本。
現藏美國華盛頓弗利爾美術館。

隋唐（公元五八一年至公元九〇七年）

歷代帝王圖（局部）
唐
閻立本
全圖高51.3、寬531厘米。
絹本，設色。學術界一般認
爲前段爲唐畫，後段爲宋人
摹配。
現藏美國波士頓美術館。

歷代帝王圖局部之一

歷代帝王圖局部之二

步輦圖

唐

閻立本

高38.5、寬129厘米。

絹本，設色。宋摹本。

現藏故宮博物院。

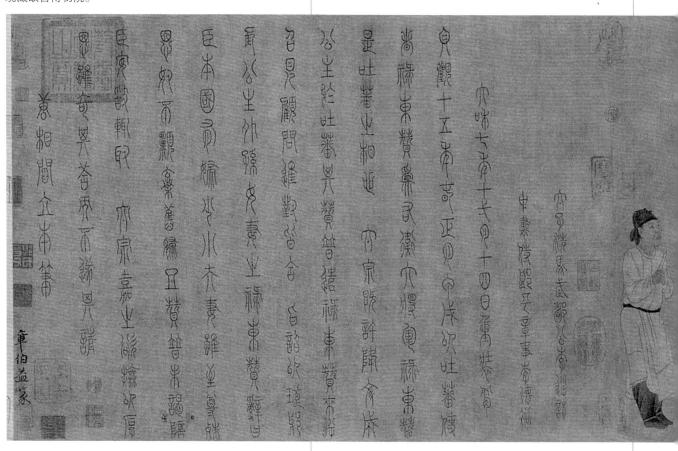

步輦圖局部

李思訓（公元653－718年）

唐代畫家。成紀（今甘肅秦安北）人。字建，一作建景。唐宗室。高宗時任揚州江都令。玄宗開元初，官右武衛大將軍。擅畫山水樹石，設色青綠爲質，金碧爲紋，成一家之法。其畫風爲後代畫金碧青綠山水者所取法。其子李昭道亦擅山水，世稱父子二人爲"大小李將軍"。

江帆樓閣圖

唐
李思訓（傳）
高101.9、寬54.7厘米。
絹本，設色。
現藏臺北故宮博物院。

■ 盧　鴻

　　唐代畫家。范陽（今河北涿州）人，家洛陽（今屬河南）。鴻，亦作鴻一，字顥然，一作浩然。開元六年（公元718年），召爲諫議大夫，因無意爲官，隱居嵩山。工籀篆楷隸，擅畫山水樹石，筆墨清逸，得平遠之趣。

■ 草堂十志圖

唐

盧鴻（傳）

紙本，水墨。

現藏臺北故宮博物院。

草堂

草堂者蓋因自然之谿阜當墉湢資人力之締構後
加茅茨將以避燥溼成棟宇之用昭簡易叶乾坤之
德道可容膝休閑谷神同道此其所貴也及靡者居
之則妄為剪飾失天理矣　　詞曰

山為宅兮草為堂芝蘭兮藥房羅蘼蕪于拍楹荃蓁
壁兮蘭砌蘼蕪辟荔兮成草堂陰二簽兮韻香
中有人兮信宜常讀金書兮飲玉漿童顏幽燥
兮長不易

樸屋葭
茅避燥

隋唐（公元五八一年至公元九〇七年）

■ 梁令瓚

　　唐代畫家。蜀（今四川）人。玄宗時爲集賢院待詔，工畫人物。他同時還是一位天文儀器製造家，設計製造過黃道游儀和水運渾象儀。

五星二十八宿神形圖（局部）

唐

梁令瓚（傳）

全圖高27.5、寬489.7厘米。

絹本，設色。

現藏日本大阪市立美術館。

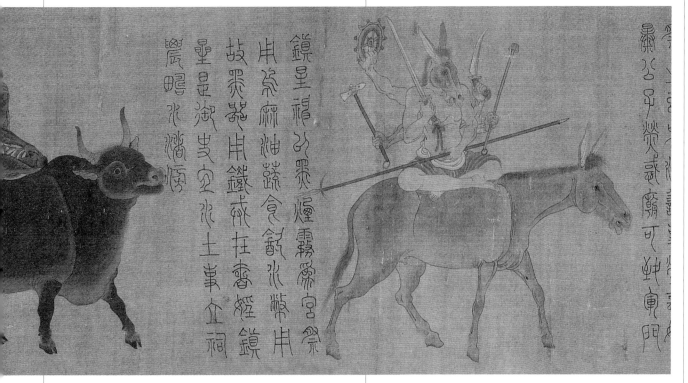

五星二十八宿神形圖局部之一

五星二十八宿神形圖局部之二

李昭道

　　唐代畫家。成紀（今甘肅天水秦安北）人。字希俊。李思訓子。擅畫金碧山水，多點綴鳥獸，并創製海景，畫風工巧繁縟，後人曾有"變父之勢，妙又過之"的評語，但也有畫評以爲其"智慧筆力不及思訓"。

春山行旅圖

唐

李昭道（傳）

高96.5、寬55.3厘米。

絹本，設色。

現藏臺北故宮博物院。

明皇幸蜀圖

唐

李昭道

高55.9、寬81厘米。

絹本，設色。宋摹本。

現藏臺北故宮博物院。

青綠湖山迴
歸帆道路長
客人方結束
李自周詳繹
為名利利那
賀子興仁年
陳央姓氏九宗
近季唐
甲午新秋
瀋題

■ 吳道子（約公元685－758，一作？－758年）

　　唐代畫家。陽翟（今河南禹州）人。初名道子，後改名道玄。擅畫佛道人物，亦善鳥獸、草木、臺閣，遠師張僧繇，近學張孝師。曾在長安、洛陽寺觀作壁畫三百餘間，"奇迹异狀，無一同者"。他用狀如蘭葉或狀如蓴菜條的筆法來表現衣褶，有飄舉之勢，人稱"吳帶當風"，對後世的宗教人物畫有很大影響。也畫山水，曾寫蜀中景色。千百年來被奉爲"畫聖"，民間畫工尊之爲"祖師"。亦能雕塑，曾在汴梁大相國寺塑維摩、文殊像。

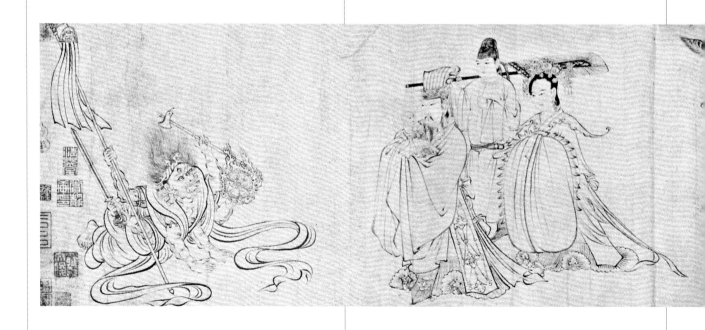

送子天王圖

唐
吳道子（傳）
高35.7、寬338厘米。
紙本，水墨。
現藏日本大阪市立美術館。

隋唐（公元五八一年至公元九〇七年）

■ 張 萱

　　唐代畫家。京兆（今陝西西安）人。開元間任史館畫直。工畫人物，以擅繪貴族婦女、嬰兒、鞍馬，名冠當時。所畫婦女，慣用朱色暈染耳根；還善以點簇筆法構寫亭臺、樹木、花鳥等宮苑景物。

搗練圖局部之一

搗練圖
唐
張萱
高37、寬147厘米。
絹本，設色。宋摹本。
現藏美國波士頓美術館。

搗練圖局部之二

隋唐（公元五八一年至公元九〇七年）

虢國夫人游春圖
唐
張萱
高52、寬148厘米。
絹本，設色。宋摹本。
現藏遼寧省博物館。

■ 陳 閎

　　唐代畫家。會稽（今浙江紹興）人。閎，一作弘或宏。善寫真，兼工人物鞍馬，與韓幹同師于曹霸。

八公圖
唐
陳閎（傳）
高25.2、寬82厘米。
絹本，設色。現僅存六人。
現藏美國堪薩斯納爾遜－艾金斯美術館。

■ 王 維（公元701 – 761，一作698 – 759年）

　　唐代詩人、畫家。原籍祁縣（今屬山西），其父遷居于蒲州（今山西永濟西），遂爲河東人。字摩詰。開元進士。官至尚書右丞，世稱"王右丞"。兼通音樂，精繪畫。善寫破墨山水及松石，尤工平遠之景。北宋蘇軾稱他"詩中有畫，畫中有詩"。明董其昌推爲"南宗"之祖，并謂"文人之畫，自王右丞始"。亦擅人物、肖像、叢竹等。

■ 江山雪霽圖（局部）
唐
王維（傳）
全圖高31.3、寬207.3厘米。
絹本，設色。
現藏日本私人處。

伏生授經圖（局部）
唐
王維（傳）
全圖高28、寬49厘米。
絹本，設色。
現藏日本大阪市立美術館。

▌韓　幹（公元？－780年）

　　唐代畫家。京兆（今陝西西安）人，一作大梁（今河南開封）人。擅繪肖像、人物、鬼神、花竹，尤工畫馬，師曹霸而重視寫生，能擺脫"螭體龍形"的舊形式，而着重描繪風采神態。

牧馬圖
唐
韓幹
高27.5、寬34.1厘米。
絹本，水墨淡設色。
現藏臺北故宮博物院。

照夜白圖

唐

韓幹

高30.9、寬33.5厘米。

紙本，設色。

現藏美國紐約大都會博物館。

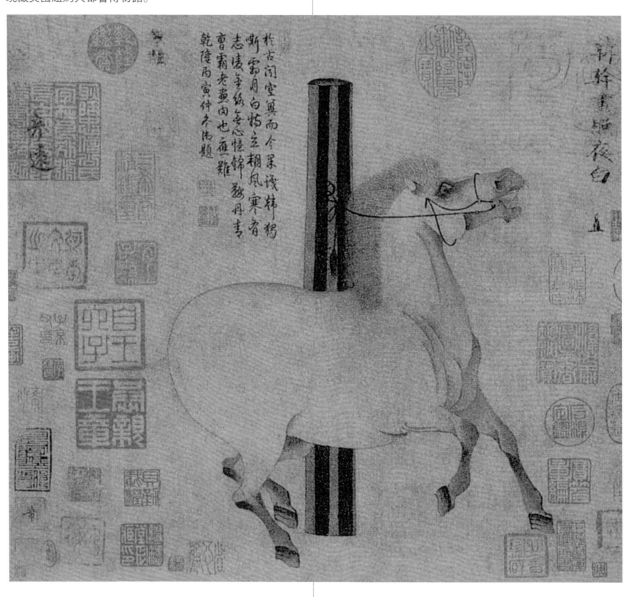

▋盧稜伽

　　唐代畫家。長安（今陝西西安）人。稜伽，一作楞伽。吳道子學生。擅畫佛像、經變，肅宗乾元初在成都大聖慈寺畫《行道高僧》數堵，顏真卿題字，時稱"二絕"。

六尊者像（選二幅）

唐
盧稜伽（傳）
均高30、寬53厘米。
絹本，設色。共六幅。宋摹本。
現藏故宮博物院。

六尊者像之一

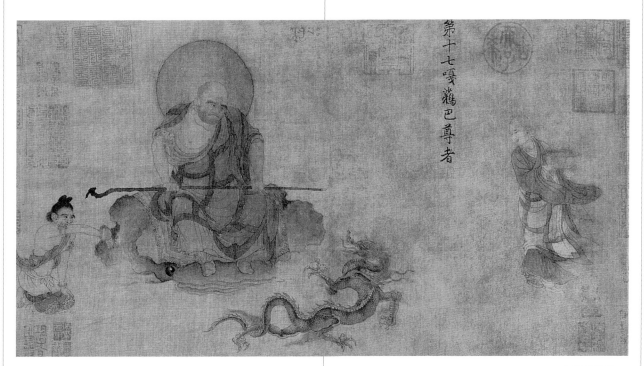

六尊者像之二

隋唐（公元五八一年至公元九〇七年）

韓　滉（公元723－787年）

　　唐代畫家。長安（今陝西西安）人。字太沖。德宗朝宰相，檢校左僕射同中書門下平章事，封晉國公，世稱"韓晉公"。擅畫田家風俗、人物、水牛，尤以畫牛"曲盡其妙"。

五牛圖
唐
韓滉
高20.9、寬139.8厘米。
紙本，設色。
現藏故宮博物院。

五牛圖局部之一

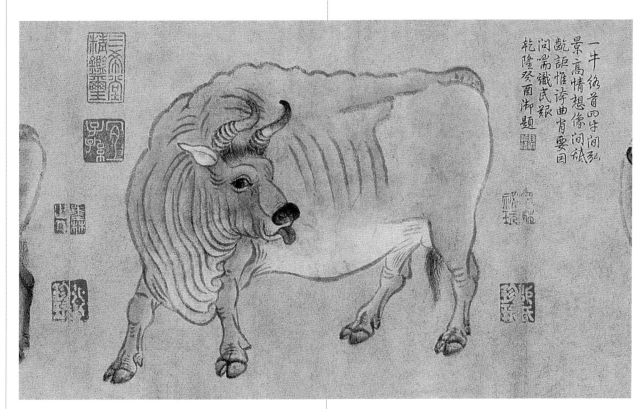

一牛絡首四牛間
景高情想像間祗
乾隨惟詩曲肯要
閲端鐵氏跛圖
乾隆癸酉御題

五牛圖局部之二

■ 周 昉

　　唐代畫家。京兆（今陝西西安）人。字景玄，又字仲朗。官至宣州長史。早年畫學張萱，是張萱之後表現貴族婦女的又一名家，所畫《水月觀音》成爲長期流行的一種佛像標準，稱爲"周家樣"。亦善鞍馬、鳥獸、草木。宋代米芾《畫史》將他和顧愷之、陸探微、吳道子并稱爲四大人物畫家。

簪花仕女圖

唐

周昉

高46、寬180厘米。

絹本，設色。有學者認爲是五代南唐畫院畫家作品。

現藏遼寧省博物館。

隋唐（公元五八一年至公元九〇七年）

紈扇仕女圖
唐
周昉
高33.7、寬204.8
厘米。
絹本，設色。
現藏故宮博物院。

隋唐（公元五八一年至公元九〇七年）

内人雙陸圖
唐
周昉（傳）
高28.8、寬25厘米。
絹本，設色。
現藏臺北故宮博物院。

調琴啜茗圖
唐
周昉（傳）
高28、寬75.3厘米。
絹本，設色。
現藏美國堪薩斯納爾遜-
艾金斯美術館。

▌李　真

　　唐代畫家。真，一作貞。大約與周昉同時，師尹琳，精人物肖像畫。時人有"李真、周昉優劣難"之評。

不空金剛像

唐

李真

高22.4、寬15.7厘米。

絹本，設色。

現藏日本京都教王護國寺。

▌孫 位

　　唐代畫家。會稽（今浙江紹興）人。初名位，後改遇（一作异），自號會稽山人。擅畫人物、佛像、松石、墨竹，尤以畫水著名。

▌高逸圖

唐
孫位
高45.2、寬168.7厘米。
絹本，設色。
現藏上海博物館。

游騎圖
唐
佚名
高22.7、寬94.8厘米。
絹本，設色。
現藏故宮博物院。

隋唐（公元五八一年至公元九〇七年）

百馬圖
唐
佚名
高26.7、寬302.1厘米。
絹本，設色。宋摹本。
現藏故宮博物院。

宮樂圖

唐

佚名

高48.7、寬69.5厘米。

絹本，設色。宋摹本。

現藏臺北故宮博物院。

童子圖（殘片）

唐

佚名

發現于新疆吐魯番市吐峪溝。

高12.2、寬12厘米。

絹本，設色。

現藏遼寧省旅順博物館。

伏羲女媧圖
唐
佚名
出土于新疆吐魯番市阿斯塔那唐墓。
高220、上寬106、下寬81厘米。
絹本，設色。
現藏新疆維吾爾自治區博物館。

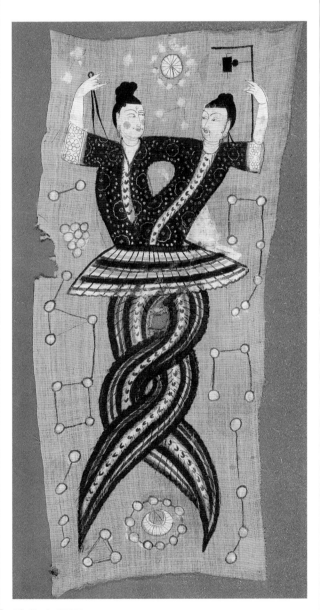

伏羲女媧圖
唐
佚名
出土于新疆吐魯番市阿斯塔那76號墓。
高184、寬75厘米。
絹本，設色。
現藏新疆維吾爾自治區博物館。

隋唐（公元五八一年至公元九〇七年）

舞樂圖（選二屏）

唐

佚名

出土于新疆吐魯番市阿斯塔那張禮臣墓。

高51.5、寬25厘米。

絹本，設色。共六屏。

現藏新疆維吾爾自治區博物館。

舞樂圖之一

舞樂圖之二

弈棋仕女圖

唐

佚名

出土于新疆吐魯番市阿斯塔那189號墓。

高62.3、寬54.2厘米。

絹本，設色。

現藏新疆維吾爾自治區博物館。

仕女圖
唐
佚名
出土于新疆吐魯番市阿斯塔那189號墓。
高66.8厘米。
絹本，設色。
現藏新疆維吾爾自治區博物館。

仕女圖
唐
佚名
出土于新疆吐魯番市阿斯塔那187號墓。
高75.8厘米。
絹本，設色。
現藏新疆維吾爾自治區博物館。

雙童圖
唐
佚名
出土于新疆吐魯番市阿斯塔那187號墓。
高58.8厘米。
絹本，設色。
現藏新疆維吾爾自治區博物館。

侍馬圖（選二屏）

唐
佚名
出土于新疆吐魯番市阿斯塔那188號墓。

高53.7–56.5、寬21.5–27厘米。
絹本，設色。共八屏。
現藏新疆維吾爾自治區博物館。

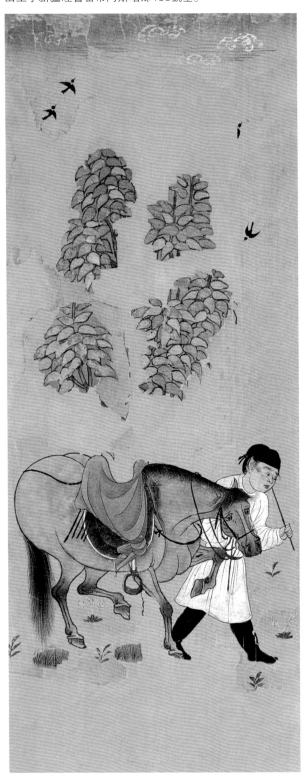

侍馬圖之一

侍馬圖之二

樹下人物圖

唐

佚名

出土于新疆吐魯番市阿斯塔那唐墓。

高138、寬54厘米。

紙本，設色。

現藏日本静岡縣熱海MOA美術館。

樹下人物圖

唐

佚名

出土于新疆吐魯番市阿斯塔那唐墓。

高149、寬57厘米。

紙本，設色。

現藏日本東京國立博物館。

隋唐（公元五八一年至公元九〇七年）

花鳥圖

唐

佚名

出土于新疆吐魯番市阿斯塔那105號墓。

高29.5、寬13.5厘米。

紙本，設色。

現藏新疆維吾爾自治區博物館。

花鳥圖

唐

佚名

出土于新疆吐魯番市哈拉和卓50號墓。

高140、寬205厘米。

紙本，設色。

現藏新疆維吾爾自治區博物館。

釋迦净土圖

唐

佚名

發現于甘肅敦煌莫高窟藏經洞。

高168、寬121.6厘米。

絹本，設色。

現藏英國倫敦大英博物館。

降魔變

唐

佚名

發現于甘肅敦煌莫高窟藏經洞。

高144.4、寬113厘米。

絹本，設色。

現藏法國巴黎吉美美術館。

隋唐（公元五八一年至公元九〇七年）

樹下説法圖

唐

佚名

發現于甘肅敦煌莫高窟藏經洞。

高139、寬101.7厘米。

絹本，設色。

現藏英國倫敦大英博物館。

熾盛光佛和五行星圖

唐

佚名

發現于甘肅敦煌莫高窟藏經洞。

高80.4、寬55.4厘米。

絹本，設色。

現藏英國倫敦大英博物館。

彌勒佛像（殘片）

唐

佚名

發現于甘肅敦煌莫高窟。

高64、寬33厘米。

絹本，設色。

現藏俄羅斯艾爾米塔什博物館。

佛傳圖

唐

佚名

發現于甘肅敦煌莫高窟。

高58.5、寬18.5厘米。

絹本，設色。

現藏英國倫敦大英博物館。

引路菩薩圖

唐

佚名

發現于甘肅敦煌莫高窟藏經洞。

高85、寬53.6厘米。

絹本，設色。

現藏英國倫敦大英博物館。

菩薩像

唐

佚名

發現于甘肅敦煌莫高窟藏經洞。

高68.2、寬19厘米。

絹本，設色。

現藏英國倫敦大英博物館。

普賢菩薩像

唐

佚名

發現于甘肅敦煌莫高窟藏經洞。

高57、寬18.5厘米。

絹本，設色。

現藏英國倫敦大英博物館。

供養菩薩像
唐
佚名
發現于甘肅敦煌莫高窟藏經洞。
高80、寬28厘米。
絹本，設色。
現藏英國倫敦大英博物館。

地藏菩薩像
唐
佚名
發現于甘肅敦煌莫高窟藏經洞。
高58、寬18.5厘米。
絹本，設色。
現藏英國倫敦大英博物館。

金剛力士像

唐

佚名

發現于甘肅敦煌莫高窟藏經洞。

高79.5、寬25.5厘米。

絹本，設色。

現藏英國倫敦大英博物館。

金剛力士像

唐

佚名

發現于甘肅敦煌莫高窟藏經洞。

高64、寬18.5厘米。

絹本，設色。

現藏英國倫敦大英博物館。

行道天王圖

唐
佚名
發現于甘肅敦煌莫高窟藏經洞。

高37.6、寬26.6厘米。
絹本，設色。
現藏英國倫敦大英博物館。

廣目天像

唐

佚名

發現于甘肅敦煌莫高窟藏經洞。

高45.5、寬16厘米。

絹本，設色。

現藏英國倫敦大英博物館。

持國天像

唐

佚名

發現于甘肅敦煌莫高窟藏經洞。

高40.5、寬15.5厘米。

絹本，設色。

現藏英國倫敦大英博物館。

天王像

唐

佚名

發現于甘肅敦煌莫高窟藏經洞。

高60、寬18.5厘米。

絹本，設色。

現藏英國倫敦大英博物館。

蓮花化生童子圖

唐

佚名

發現于甘肅敦煌莫高窟藏經洞。

高41.3、寬18.4厘米。

絹本，設色。

現藏英國倫敦大英博物館。

六女神像

唐

佚名

發現于甘肅敦煌莫高窟藏經洞。

各高33、寬8厘米。

絹本，設色。

現藏英國倫敦大英博物館。

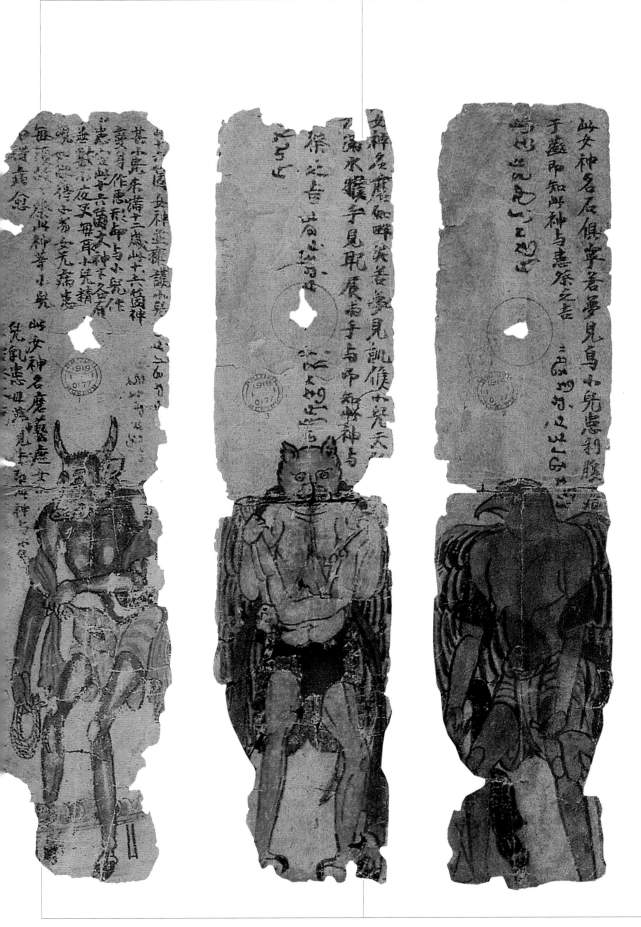

隋唐（公元五八一年至公元九〇七年）

行脚僧像

唐

佚名

發現于甘肅敦煌莫高窟藏經洞。

高41、寬29.8厘米。

紙本，設色。

現藏英國倫敦大英博物館。

禪定比丘像

唐

佚名

發現于甘肅敦煌莫高窟藏經洞。

高46、寬30厘米。

紙本，水墨。

現藏英國倫敦大英博物館。

香爐獅子鳳凰圖

唐

佚名

發現于甘肅敦煌莫高窟藏經洞。

高75、寬92.5厘米。

麻本，設色。

現藏英國倫敦大英博物館。

隋唐（公元五八一年至公元九〇七年）

那羅延天像

唐

佚名

發現于甘肅敦煌莫高窟藏經洞。

高46、寬31.3厘米。

紙本，設色。

現藏英國倫敦大英博物館。

羅漢（殘片）

唐

佚名

出于新疆高昌故城遺址。

高29、寬47.5厘米。

絹本，設色。

現藏德國柏林印度藝術博物館。

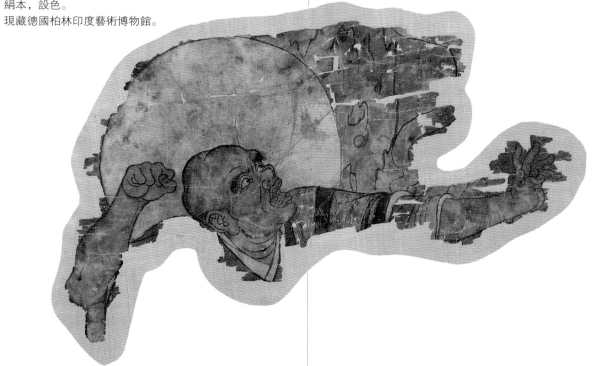

舞蹈惡鬼（右圖）

唐

佚名

出于新疆高昌故城遺址。

高17.5、寬9厘米。

紙本，水墨。

現藏德國柏林印度藝術博物館。

菩薩頭像（殘片）

唐

佚名

出于新疆高昌故城遺址。

高34.5、寬27.5厘米。

絹本，設色。

現藏德國柏林印度藝術博物館。

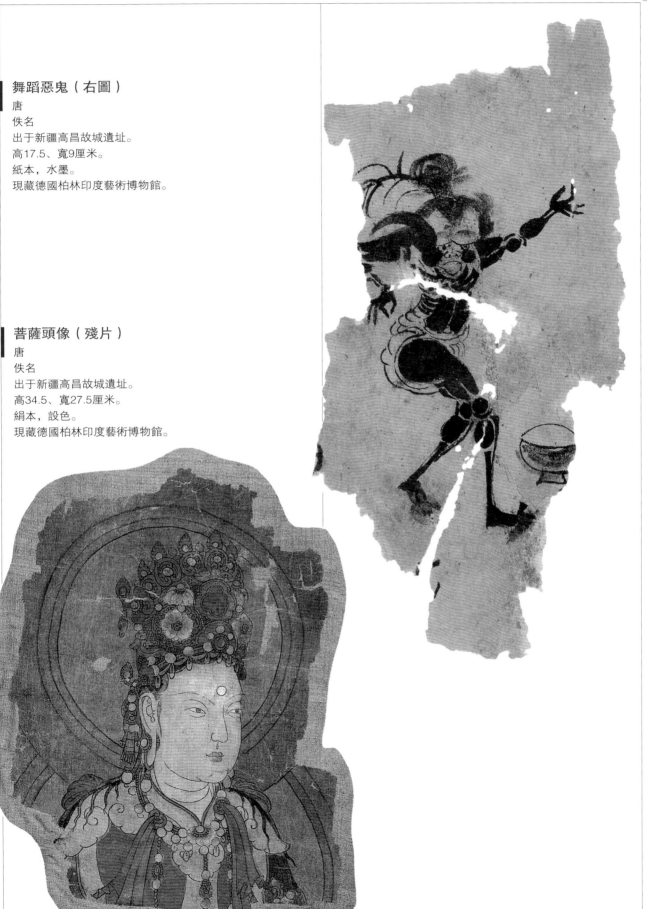

隋唐（公元五八一年至公元九〇七年）

南詔圖傳（局部）

南詔

佚名

全圖高31.5、寬580.2厘米。

絹本，設色。

現藏日本京都藤井有鄰館。

南詔圖傳局部之一

南詔圖傳局部之二

五代十國（公元九〇七年至公元九六〇年）

貫　休（公元832－912年）

　　五代十國前蜀畫家。婺州蘭溪（今屬浙江）人。俗姓姜，字德隱。和安寺僧。後入蜀，蜀主王建賜號"禪月大師"。工畫，所作水墨羅漢及釋迦弟子諸像，筆法堅勁，大都粗眉大眼，豐頰高鼻，形象誇張。

十六羅漢圖（選四幅）

五代十國

貫休（傳）

均高112、寬51.4厘米。

絹本，水墨。

分別藏于日本東京根津美術館、日本京都高臺寺和日本宮內廳。

十六羅漢圖之一

十六羅漢圖之二

十六羅漢圖之三

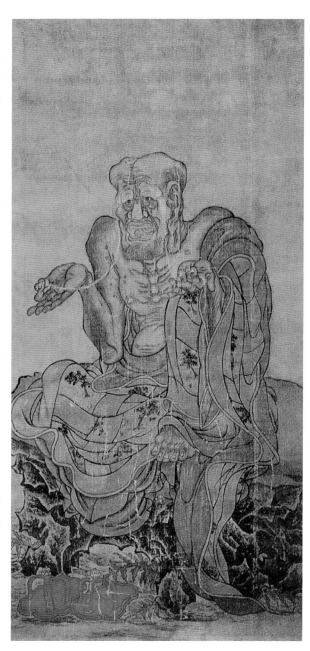

十六羅漢圖之四

滕昌祐

五代十國初畫家。原籍吳郡（今江蘇蘇州），字勝華。後隨僖宗入蜀。擅花鳥、草蟲、蔬果，作畫均參考實物，隨類敷彩，宛有生意。畫蟬蝶草蟲，創所謂"點畫"。

牡丹圖
五代十國
滕昌祐（傳）
高97.7、寬53.5厘米。
絹本，設色。
現藏臺北故宮博物院。

荆 浩

五代十國後梁畫家。沁水（今屬山西，一説爲河南濟源）人。字浩然。隱居于太行山之洪谷，因號"洪谷子"。善畫山水松石，常寫生于山中，所作山水具有四面峻厚之氣勢。他發展了山水畫的全景構圖和皴法技巧，爲北方山水畫的開創者。精畫理，著有《筆法記》一卷，提出"六要"和"四勢"之説。

雪景山水圖
五代十國
荆浩（傳）
高136、寬75厘米。
絹本，設色。
現藏美國堪薩斯納爾遜－艾金斯美術館。

匡廬圖
五代十國
荊浩
高185.8、寬106.8
厘米。
絹本，水墨。
現藏臺北故宮博
物院。

五代十國（公元九○七年至公元九六○年）

■ 關 仝

　　五代十國後梁畫家。長安
（今陝西西安）人。仝，一作
同，一名穜，又作童。工畫山
水，師荆浩，有出藍之譽。擅畫
秋山寒林、村居野渡、幽人逸
士、漁市山驛，時稱"關家山
水"。與荆浩、董源、巨然并稱
五代、北宋間四大山水畫家。

關山行旅圖
五代十國
關仝（傳）
高144.4、寬56.8厘米。
絹本，設色。有學者認爲爲南宋
繪畫。
現藏臺北故宮博物院。

秋山晚翠圖

五代十國

關仝（傳）

高140.5、寬57.3厘米。

絹本，設色。

現藏臺北故宮博物院。

山溪待渡圖

五代十國

關仝（傳）

高156.6、寬99.6厘米。

絹本，設色。

現藏臺北故宮博物院。

■ 趙喦

　　五代十國畫家。陳州（今河南淮陽）人。本名霖，字秋巘。爲梁太祖駙馬都尉。喜繪畫，尤工人物，作畫的筆墨亦創有新意。精鑒賞，富收藏。

八達春游圖

五代十國
趙喦（傳）
高161、寬103厘米。
絹本，設色。
現藏臺北故宮博物院。

調馬圖

五代十國
趙喦（傳）
高29.5、寬49.4厘米。
絹本，設色。
現藏上海博物館。

射騎圖

五代十國
李贊華
高27.1、寬49.5厘米。
絹本，設色。
現藏臺北故宮博物院。

五代十國（公元九○七年至公元九六○年）

李贊華（公元899－936年）

　　五代十國後唐畫家。本名耶律倍，契丹人。遼太祖阿保機長子，後降後唐，後唐明宗李亶賜以李姓，名贊華，授懷華軍節度使，瑞、慎等州觀察使。善繪畫，工契丹人馬，多寫酋長貴族、胡服鞍馬，獵射奔馳。

東丹王出行圖（上圖）

五代十國
李贊華（傳)
高27.8、寬125厘米。
絹本，設色。
現藏美國波士頓美術館。

回獵圖之一

胡 瓌

　　五代十國後唐畫家。山後契丹烏索固部落人，後居范陽（今河北涿州）。善畫人物、鞍馬，尤其長于描繪北方游牧民族的生活。

回獵圖（下圖）
五代十國
胡瓌（傳）
均高32.9、寬44.3厘米。
絹本，設色。
現藏臺北故宮博物院。

回獵圖之二

五代十國（公元九〇七年至公元九六〇年）

卓歇圖

五代十國
胡瓌
高33、寬256厘米。
絹本，設色。
現藏故宮博物院。

番騎圖

五代十國

胡瓌（傳）

高26.2、寬143.5厘米。

絹本，設色。

現藏故宮博物院。

乘馬貢獒駝獒強勝疆市馬贖首題五字假籍瘦壹價豈如辛亥新正中澣御題

蕃馬曾經弄石渠績斅審騎積羲數神情超脫真居上結構繁乃異絪乃異絪乃諫

■ 董　源（公元？－約962年）

　　五代十國南唐畫家。鍾陵（今江西進賢西北）人。源，一作元，字叔達。南唐時，曾任後苑副使，後苑即北苑，世稱"董北苑"。工山水，擅畫秋嵐遠景，多描寫江南真境，畫風細密精緻，開創了平淡天真的江南畫派風格，充分表現出南方山水風景秀潤多姿的特點。其水墨山水對後世影響巨大，後世將他與巨然并稱"董巨"，成爲南方山水畫派之祖。

瀟湘圖

五代十國
董源
高50、寬141厘米。
絹本，設色。
現藏故宮博物院。

五代十國（公元九〇七年至公元九六〇年）

五代十國（公元九〇七年至公元九六〇年）

夏山圖
五代十國
董源

高49.4、寬313.2厘米。
絹本，水墨淡設色。
現藏上海博物館。

夏景山口待渡圖
五代十國
董源

高50、寬320厘米。
絹本，水墨淡設色。
現藏遼寧省博物館。

五代十國（公元九〇七年至公元九六〇年）

寒林重汀圖（局部）

五代十國

董源

全圖高181.5、寬116.5厘米。

絹本，設色。

現藏日本東京黑川古文化研究所。

溪岸圖

五代十國

董源（傳）

高221.5、寬110厘米。

絹本，設色。

現藏美國紐約大都會博物館。

龍宿郊民圖

五代十國
董源（傳）
高156、寬160厘米。
絹本，設色。
現藏臺北故宮博物院。

五代十國（公元九〇七年至公元九六〇年）

■ 顧閎中

五代十國南唐畫家。江南人。南唐中主時任畫院待詔。工畫人物，用筆圓勁，間有方筆轉折，設色濃麗。

■ 韓熙載夜宴圖

五代十國
顧閎中
高28.7、寬335.5厘米。
絹本，設色。有學者認爲此圖是南宋摹本。
現藏故宮博物院。

熙載風源清

為天官侍郎以

俯為時論所訟

寫書此圖

韓熙載夜宴圖之一

韓熙載夜宴圖之二

五代十國（公元九〇七年至公元九六〇年）

韓熙載夜宴圖之三

韓熙載夜宴圖之四

■ 黃 筌（公元?－965年）

　　五代十國後蜀畫家。成都（今屬四川）人。字要叔。曾任蜀翰林待詔、權院事等職。繪畫以花鳥畫著稱，亦善人物、山水等，曾師法刁光胤、孫位等，取諸家所長，自成一家。畫風精緻華麗，後人把他與江南徐熙并稱"黃徐"，有"黃家富貴，徐熙野逸"之評，形成五代、宋初花鳥畫的兩大流派。

寫生珍禽圖
五代十國
黃筌

高41.5、寬70.8厘米。
絹本，設色。
現藏故宮博物院。

■ 周文矩

　　五代十國南唐畫家。建康句容（今屬江蘇）人。南唐後主時任翰林待詔。長于畫人物、釋道，兼精車馬、器物、樓觀，多以宮廷貴族生活爲題材，畫風近于周昉，而更趨纖細。創"戰（顫）筆描"表現手法。

文苑圖

五代十國
周文矩
高37.4、寬58.5厘米。
絹本，設色。
現藏故宮博物院。

五代十國（公元九〇七年至公元九六〇年）

重屏會棋圖

五代十國
周文矩

高40.3、寬70.5厘米。
絹本，設色。宋摹本。
現藏故宮博物院。

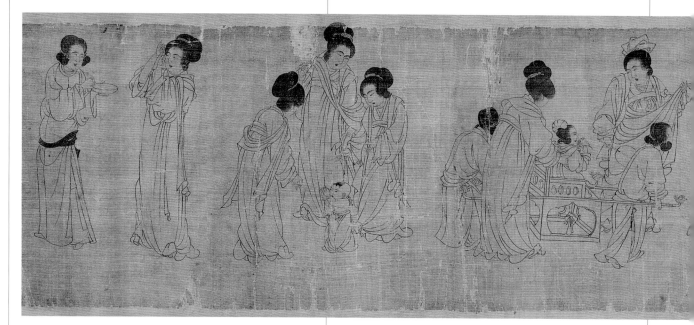

宮廷春曉圖

五代十國

周文矩

絹本，水墨淡設色。現存殘卷四段。

此選現藏美國紐約大都會博物館，其它殘卷分別藏于美
國克里夫蘭博物館和美國哈佛大學弗格美術館等處。

琉璃堂人物圖

五代十國
周文矩（傳）
高34、寬125.7厘米。
絹本，設色。
現藏美國紐約大都會博物館。

徐　熙

　　五代十國南唐畫家。金陵（今江蘇南京）人，一作鍾陵（今江西進賢西北）人。善畫花竹林木、蟬蝶草蟲，創水墨淡彩法。但由于當時黃筌父子在畫院占優勢，斥徐熙一派爲"粗惡不入格"，致其未能入畫院。

雪竹圖

五代十國

徐熙

高151.1、寬99.2厘米。

絹本，水墨。

現藏上海博物館。

▌衛 賢

　　五代十國南唐畫家。長安（今陝西西安）人。後主時爲内廷供奉。初師尹繼昭，後學吳道子，長于界畫，既能"折算無差"，又無庸俗匠氣，被稱爲唐以來第一能手。擅繪殿堂、樓閣、廟觀、屋宇、人物以及盤車等。

▌高士圖

五代十國
衛賢
高134.5、寬52.5厘米。
絹本，水墨淡設色。
現藏故宮博物院。

五代十國（公元九○七年至公元九六○年）

王齊翰

　　五代十國南唐畫家。金陵（今江蘇南京）人。南唐後主時爲翰林待詔。工畫道釋人物，亦善寫山林丘壑，以工筆細膩見長。

勘書圖

五代十國

王齊翰

高28.4、寬65.7厘米。

絹本，設色。

現藏南京大學考古與藝術博物館。

■ 趙　幹

　　五代十國南唐畫家。江寧（今江蘇南京）人。後主李
煜時期爲畫院學生。擅畫山水、林木，長于構圖布局。多
作江南一帶樓觀、舟楫、水村和漁市等景觀。

五代十國（公元九〇七年至公元九六〇年）

江行初雪圖

五代十國
趙幹

高25.9、寬376.5厘米。
絹本，設色。
現藏臺北故宮博物院。

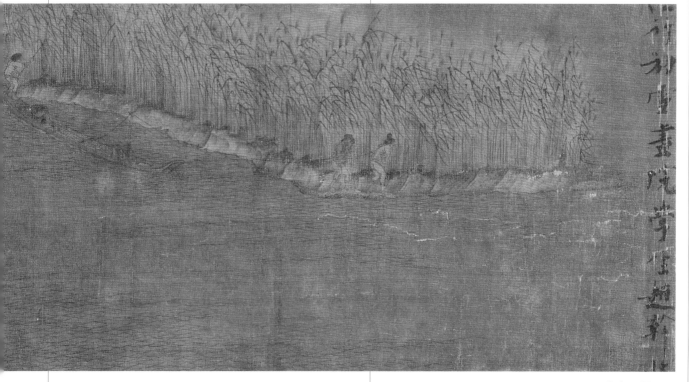

江行初雪圖之一

江行初雪圖之二

五代十國（公元九〇七年至公元九六〇年）

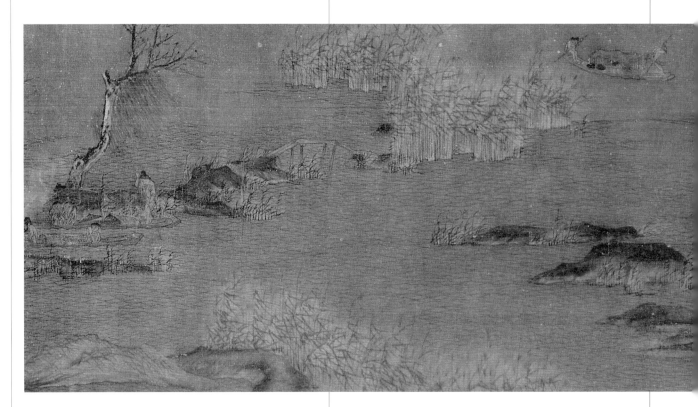

江行初雪圖之三

江行初雪圖之四

阮　郜

　　五代十國畫家。工寫人物，畫仕女尤爲擅長。多取道教題材入畫。

閬苑女仙圖

五代十國
阮郜
高42.7、寬177.2厘米。
絹本，設色。
現藏故宮博物院。

閬苑女仙圖局部

▍李 坡

　　五代十國南唐畫家。南昌（今屬江西）人。坡，一作頗，或作波。善畫竹，不以纖巧瑣細見長，多放情任性，隨意落筆，便有生意。

▍風竹圖

五代十國
李坡（傳）
高131.2、寬91.5厘米。
絹本，水墨。
現藏臺北故宮博物院。

▍石 恪

　　五代十國後蜀畫家。成都郫縣（今屬四川）人。字子專。後蜀亡，至汴京（今河南開封）。長于佛道人物，形象誇張，筆墨簡練放縱，開南宋減筆人物畫之先河。

▍二祖調心圖

五代十國
石恪（傳）
高35.3、寬64.3厘米。
紙本，水墨。
現藏日本東京國立博物館。

■ 巨 然

　　五代十國畫家。江寧（今江蘇南京）人。南唐亡，隨後主到汴梁（今河南開封），爲開元寺僧。擅長山水，師法董源。對水墨山水有所發展，自成一家。其畫筆墨秀潤，善于表現江南山水，和董源共爲南方山水畫派的開創者。畫史把他和荊浩、董源、關仝并稱爲五代十國北宋間山水畫四大家。

層崖叢樹圖

五代十國
巨然
高144.1、寬55.4厘米。
絹本，水墨。
現藏臺北故宫博物院。

五代十國（公元九〇七年至公元九六〇年）

溪山蘭若圖（左圖）
五代十國
巨然
高185.5、寬57.5厘米。
絹本，水墨。
現藏美國克里夫蘭博物館。

秋山問道圖
五代十國
巨然（傳）
高156.2、寬77.2厘米。
絹本，水墨。
現藏臺北故宮博物院。

萬壑松風圖

五代十國

巨然（傳）

高200.2、寬77.6厘米。

紙本，水墨。

現藏上海博物館。

雪景圖

五代十國

巨然（傳）

高103.6、寬52.5厘米。

絹本，水墨。

現藏臺北故宮博物院。

閘口盤車圖

五代十國
佚名
高53.3、寬119.2厘米。
絹本，設色。
現藏上海博物館。

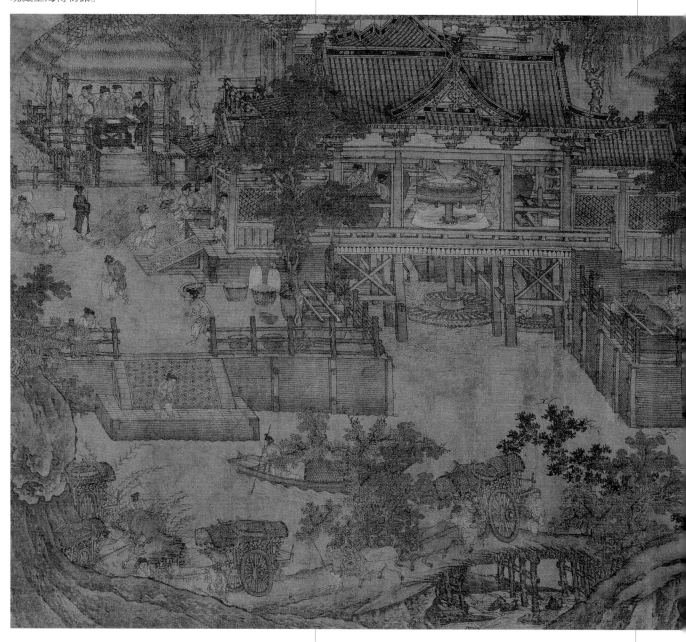

神駿圖

五代十國

佚名

高27.5、寬122厘米。

絹本，設色。

現藏遼寧省博物館。

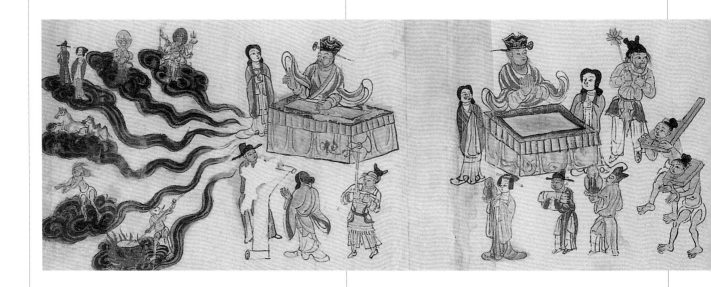

地藏十王圖（局部）

五代十國
佚名
發現于甘肅敦煌莫高窟藏經洞。
全圖高27.8、寬249厘米。
紙本，設色。
現藏英國倫敦大英博物館。

熾盛光如來像

五代十國

佚名

發現于甘肅敦煌莫高窟。

高76.4、寬30.5厘米。

紙本，設色。

現藏法國國立圖書館。

維摩經變相圖

五代十國

佚名

發現于甘肅敦煌莫高窟藏經洞。

高63.2、寬30.7厘米。

紙本，設色。

現藏英國倫敦大英博物館。

水月觀音像
五代十國
佚名
發現于甘肅敦煌莫高窟。

高53.3、寬37.2厘米。
紙本，設色。
現藏法國巴黎吉美美術館。

水月觀音像

五代十國

佚名

發現于甘肅敦煌莫高窟藏經洞。

高82.9、寬29.6厘米。

紙本，設色。

現藏英國倫敦大英博物館。

弟子像

五代十國

佚名

發現于甘肅敦煌莫高窟藏經洞。

紙本，水墨。

現藏英國倫敦大英博物館。

寶勝如來像

五代十國

佚名

發現于甘肅敦煌莫高窟。

高51.8、寬29.8厘米。

紙本，設色。

現藏俄羅斯艾爾米塔什博物館。

五代十國（公元九〇七年至公元九六〇年）

觀世音菩薩像

五代十國

佚名

發現于甘肅敦煌莫高窟。

高142、寬65.5厘米。

麻本，設色。

現藏俄羅斯艾爾米塔什博物館。

延壽命菩薩像（右圖）

五代十國

佚名

發現于甘肅敦煌莫高窟。

高95、寬35厘米。

麻本，設色。

現藏俄羅斯艾爾米塔什博物館。

彌勒净土圖

五代十國

佚名

發現于甘肅敦煌莫高窟。

高76.5、寬53厘米。

絹本，設色。

現藏法國巴黎吉美美術館。

華嚴經十地品變相圖

五代十國

佚名

發現于甘肅敦煌莫高窟。

高286、寬189厘米。

絹本，設色。

現藏法國巴黎吉美美術館。

千手千眼觀音菩薩像

五代十國

佚名

發現于甘肅敦煌莫高窟。

高123.5、寬84.3厘米。

絹本，設色。

現藏法國巴黎吉美美術館。

五代十國（公元九〇七年至公元九六〇年）

八臂十一面觀音像
五代十國
佚名
高120、寬60.5厘米。
絹本，設色。
現藏中國國家博物館。

不空羂索觀音菩薩圖
五代十國
佚名
發現于甘肅敦煌莫高窟。

高84、寬64.6厘米。
絹本，設色。
現藏法國巴黎吉美美術館。

五代十國（公元九〇七年至公元九六〇年）

地藏十王圖
五代十國
佚名
發現于甘肅敦煌莫高窟藏經洞。

高91、寬65.5厘米。
絹本，設色。
現藏英國倫敦大英博物館。

山弈候約圖

遼

佚名

出土于遼寧法庫縣葉
茂臺7號遼墓。

高106.5、寬54厘米。

絹本，設色。

現藏遼寧省博物館。

竹雀雙兔圖

遼

佚名

出土于遼寧法庫縣葉茂
臺7號遼墓。

高114.2、寬56厘米。

絹本，設色。

現藏遼寧省博物館。

采藥圖

遼

佚名

發現于山西應縣佛宮寺釋迦塔。

高54、寬34.6厘米。

紙本，設色。

現藏山西省應縣佛宮寺文物保管所。

丹楓呦鹿圖
遼
佚名
高118.5、寬64.6厘米。
絹本，設色。
現藏臺北故宮博物院。

秋林群鹿圖
遼
佚名
高118、寬67厘米。
絹本，設色。
現藏臺北故宮博物院。

■ 李　成（公元919－967年）

五代宋初畫家。長安（今陝西西安）人。字咸熙。唐宗室後裔。五代時徙家青州營丘（今山東淄博市臨淄區，一説山東昌樂），世稱"李營丘"。畫山水初師荊浩、關仝，後以自然爲師，遂自成一家。其墨法精絶，時稱"古今第一"，爲北方畫派的主要代表。

茂林遠岫圖

北宋
李成
高45.4、寬141.8厘米。
絹本，水墨。
現藏遼寧省博物館。

讀碑窠石圖

北宋

李成 王曉

高126.3、寬104.9厘米。

絹本，水墨。此畫傳爲王曉補人物，其生平事迹不詳。

現藏日本大阪市立美術館。

群峰霽雪圖

北宋

李成（傳）

高77.3、寬31.6厘米。

絹本，水墨。

現藏臺北故宮博物院。

寒林圖

北宋

李成（傳）

高180、寬104厘米。

絹本，水墨。

現藏臺北故宮博物院。

■ 黃居寀（公元933 －?年）

　　五代宋初畫家。成都（今屬四川）人。字伯鸞。黃筌第三子。與父同仕後蜀，爲翰林院待詔。傳家學，工畫花竹禽鳥。其畫風以勾勒勁挺和填彩濃厚見長。黃氏父子畫風富麗，適合宮廷需要，加之黃氏在畫院居于主持地位，一時成爲畫壇的主導。

■ 山鷓棘雀圖

北宋
黃居寀
高99、寬53.6厘米。
絹本，設色。
現藏臺北故宮博物院。

范　寬

　　北宋畫家。生卒年不詳。華原（今陝西銅州市耀州區）人。字中立，一名中正，字仲立。擅畫山水，初期師荆浩、李成。後移居終南、太華（華山），師法自然，形成了自己的風格。其作品大多氣魄雄偉，境界浩莽。用筆雄勁而渾厚。善用黑沉濃厚的墨韵，厚實而滋潤。與關仝、李成爲宋初北方山水畫派的領袖人物。

溪山行旅圖
北宋
范寬
高206.6、寬103.3厘米。
絹本，水墨。
現藏臺北故宮博物院。

雪景寒林圖

北宋

范寬（傳）

高193.5、寬160.3厘米。

絹本，水墨。

現藏天津博物館。

雪山蕭寺圖
北宋
范寬（傳）
高182.4、寬
108.2厘米。
絹本，水墨淡
設色。
現藏臺北故宮
博物院。

■ 惠　崇（公元？－1017年）

　　北宋畫家。淮南（治今江蘇揚州）人，一作建陽（今屬福建）人。著名詩僧。善畫江南小景，獨創風格，爲當時文人所推崇，世稱"惠崇小景"。

沙汀烟樹圖

北宋
惠崇（傳）
高24、寬24.5厘米。
絹本，設色。
現藏遼寧省博物館。

燕文貴（約公元967－1044年）

　　北宋畫家。湖州（今屬浙江）人。一作燕貴。曾入圖畫院爲祇候。所畫山水細密清潤，富有變化，自成一家，時稱"燕家景致"。

溪山樓觀圖

北宋
燕文貴
高103.9、寬47.4厘米。
絹本，水墨。
現藏臺北故宮博物院。

江山樓觀圖

北宋
燕文貴
高31.9、寬161.2厘米。
紙本，水墨淡設色。
現藏日本大阪市立美術館。

■ 祁 序

　　北宋畫家。江南人。序，一作嶼。善畫花鳥和人物，尤擅畫牛畫猫。

江山放牧圖

北宋

祁序

高47.3、寬115.6厘米。

絹本，設色。

現藏故宮博物院。

■ 武宗元（公元？－1050年）

　　北宋畫家。白波（今河南孟津）人。初名宗道，字總之。官至虞曹外郎。擅畫道釋人物，師法吳道子。曾繪過很多寺觀壁畫。

朝元仙仗圖

北宋

武宗元

高44.3、寬580厘米。

絹本，水墨。

現藏美國私人處。

朝元仙仗圖之一

朝元仙仗圖之二

遼北宋西夏金南宋（公元九一六年至公元一二七九年）

朝元仙仗圖之三

朝元仙仗圖之四

■ 屈　鼎

　　北宋畫家。汴京（今河南開封）人。工畫山水，師燕文貴。仁宗時爲圖畫院祇候。

夏山圖
北宋
屈鼎
高45、寬114.8厘米。
絹本，設色。
現藏美國紐約大都會博物館。

■ 許道寧

　　北宋畫家。長安（今陝西西安）人，一作河間（今屬河北）人。擅山水，早年學李成。中年游太行山，得自然造化，變法出新。晚年筆墨簡快，別成一體。

秋山蕭寺圖
北宋
許道寧
高38.3、寬147.5厘米。
絹本，水墨淡設色。
現藏日本京都藤井有鄰館。

古秀芸苓歲月
多鶴題絀重印
宣和印看與物
開生面潭是眩
池寬岸案如滴
夏山常暑雲欲
喧嗔峽漸塔波
高樓百尺軒而
徹試一深欄快
字何
戊辰新正月
御題

秋江漁艇圖

北宋

許道寧

高48.9、寬209.6厘米。

絹本，水墨。

現藏美國堪薩斯納爾遜–艾金斯美術館。

■ 張　先（公元990 – 1078年）

　　北宋畫家。烏程（今浙江湖州）人。字子野。官至都官郎中。工畫山水。亦有詞名。

十咏圖

北宋

張先（傳）

高52、寬178.7厘米。

絹本，設色。有學者認爲是南宋摹本。

現藏故宮博物院。

■ 燕　肅（公元991－1040年）

北宋畫家。青州（今屬山東）人。字穆之。官至龍圖閣直學士。工書善畫，也是工程學家。喜作山水寒林，善用水墨，不設色。

■ 春山圖

北宋
燕肅（傳）
高47.3、寬115.6厘米。
紙本，水墨。
現藏故宮博物院。

■ 趙　昌

北宋畫家。廣漢（今屬四川）人。字昌之。工書善畫，長于花果草蟲。初學滕昌祐，後超過其師。重視寫生，自號"寫生趙昌"，當時盛行厚彩重色，趙昌所作則一片平滑，明潤勻薄。

■ 蛺蝶圖

北宋
趙昌（傳）
高27.2、寬91厘米。
紙本，設色。
現藏故宮博物院。

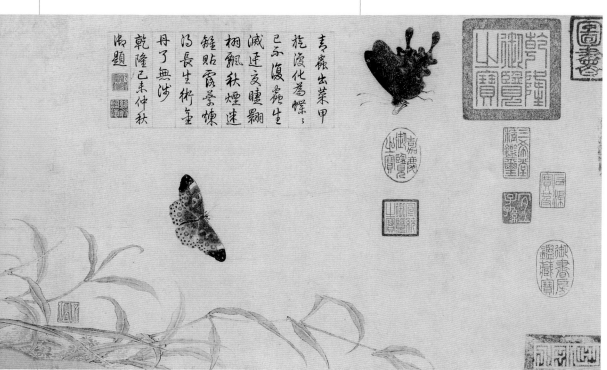

歲朝圖

北宋

趙昌（傳）

高103.8、寬51.2厘米。

絹本，設色。

現藏臺北故宮博物院。

▌易元吉

北宋畫家。生卒年不詳。長沙（今屬湖南）人。字慶之。主要活動于北宋真宗、仁宗年間（公元998-1063年）。初攻花鳥，及見趙昌畫，曰：“世未乏人，要須擺脫舊習，超佚古人之所未到，方可成名家。”曾入荊、湖山中，觀察野生動物的形態，并在居舍的後面蓄養水禽山獸，以助寫生。米芾贊其爲“徐熙後一人而已”。

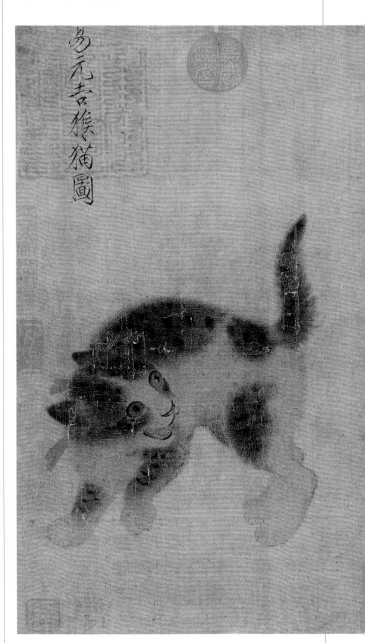

猴猫圖

北宋

易元吉

高31.9、寬57.2厘米。

絹本，設色。

現藏臺北故宫博物院。

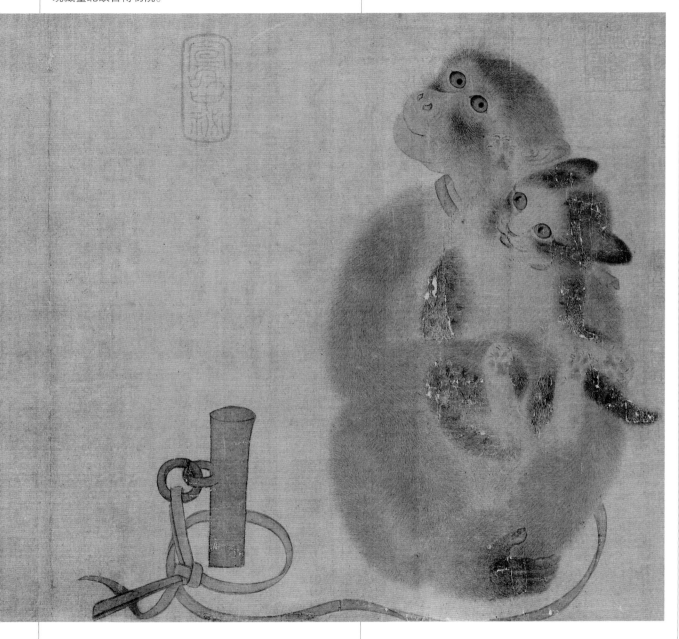

聚猿圖

北宋

易元吉

高40、寬141厘米。

絹本，水墨。

現藏日本大阪市立美術館。

刻意入山
居傳神寫
戲狎詭稱
君子愛沐
比楚人以
掛樹勝而
道飲泉軒
且梁不因耽
置酒羈絡
詎加諸
乾隆乙亥春
御題

■ 崔 白

北宋畫家。濠梁（今安徽鳳陽東）人。字子西。熙寧初授圖畫院藝學，後升待詔。畫佛道鬼神、山水、人物無不精絕，尤長于花鳥。注重寫生，畫風清淡疏秀，改變了宋初以來流行的黃筌父子濃艷細密的畫風。

寒雀圖

北宋
崔白
高30、寬69.5厘米。
絹本，水墨淡設色。
現藏故宮博物院。

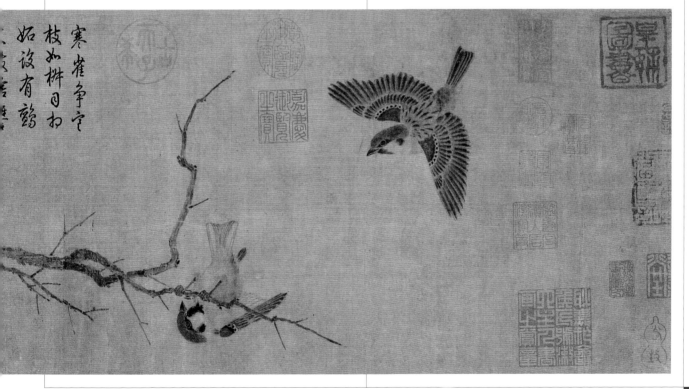

寒雀爭宇
枝如棋日和
好姿有鶯

遼北宋西夏金南宋（公元九一六年至公元一二七九年）

雙喜圖
北宋
崔白
高193.7、寬103.4厘米。
絹本，設色。
現藏臺北故宮博物院。

文　同（公元1018－1079年）

　　北宋畫家。梓州永泰（今四川鹽亭東）人。字與可。擅畫枯木竹石，尤以墨竹享盛名。他主張畫竹必先"胸有成竹"，他的作品"托物寓興，則見于水墨之戲"，是文人畫興起的標志之一。

墨竹圖

北宋
文同
高131.6、寬105.4厘米。
絹本，水墨。
現藏臺北故宮博物院。

■ 郭　熙（公元1023 – 約 1085年）

　　北宋畫家。孟州温縣（今屬河南）人。字淳夫。世稱"郭河陽"。神宗熙寧年間爲圖畫院藝學，後任翰林待詔直長。擅長山水，取法李成，鋭意摹寫，融貫出新，自成一家。早年風格較工巧，晚年轉爲雄壯。爲北宋山水畫代表畫家之一，與李成并稱"李郭"。著有《林泉高致集》，提出"高遠"、"平遠"、"深遠"的取景"三遠法"。

■ 窠石平遠圖

北宋
郭熙
高120.9、寬167.7厘米。
絹本，水墨。
現藏故宫博物院。

遼北宋西夏金南宋（公元九一六年至公元一二七九年）

樹色平遠圖

北宋
郭熙
高35.5、寬103.2厘米。
絹本，設色。
現藏美國紐約大都會博物館。

早春圖

北宋
郭熙

高158.3、寬108.1厘米。
絹本，水墨。
現藏臺北故宮博物院。

幽谷圖（左圖）

北宋
郭熙
高167.7、寬53.6厘米。
絹本，水墨。
現藏上海博物館。

山村圖

北宋
郭熙（傳）
高109.8、寬54.2厘米。
絹本，水墨。
現藏南京大學考古與藝術博物館。

■ 王 詵（公元1036－約1093，一作1048－1104年）

北宋畫家。太原（今屬山西）人。字晉卿。擅畫山水，學李成皴法，着色師李思訓金碧畫法，參以己意，自成一家。

漁村小雪圖

北宋
王詵
高44.4、寬219.7厘米。
絹本，設色。
現藏故宮博物院。

烟江叠嶂圖

北宋

王詵

高26、寬138.5厘米。

絹本，水墨。

現藏上海博物館。

烟江叠嶂圖

北宋
王詵
高45.2、寬166厘米。
絹本，設色。
現藏上海博物館。

遼北宋西夏金南宋（公元九一六年至公元一二七九年）

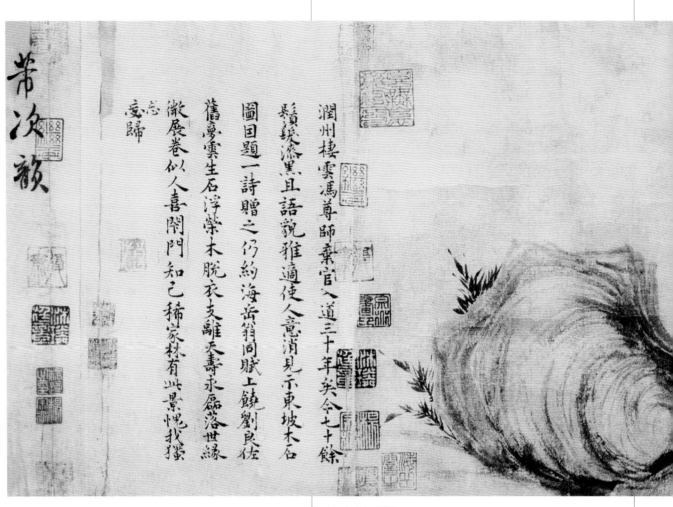

枯木怪石圖

北宋

蘇軾

紙本，水墨。

現藏日本私人處。

▌蘇　軾（公元1037－1101年）

　　北宋文學家、書畫家。眉州眉山（今屬四川）人。字子瞻，號東坡居士。以詩文著稱于世，爲"唐宋八大家"之一。精書法，爲"宋四家"之首。能畫竹，學文同。亦作枯木、怪石、佛像。論畫力主"神似"，提出"士人畫"（即文人畫）之説。

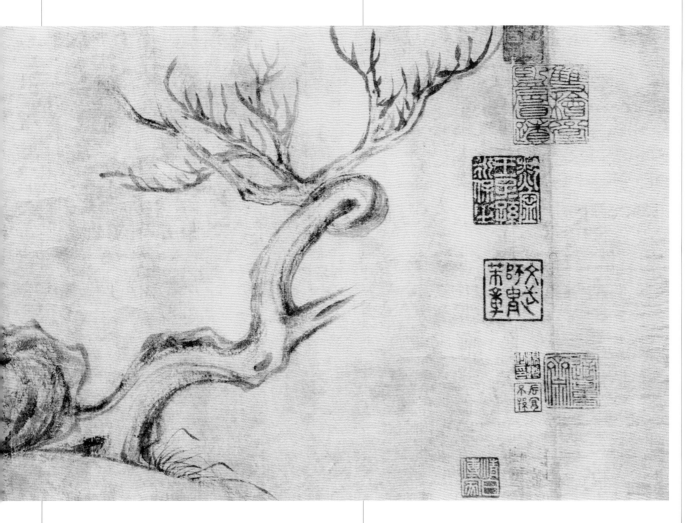

李公麟（公元1049－1106年）

　　北宋畫家。舒州（今安徽潛山）人。字伯時，號龍眠
居士。神宗熙寧三年（公元1070年）進士，歷任檢法御
史、朝奉郎等職。好古博學，善畫，人物、山水、鞍馬無
所不精。作畫多用“白描”畫法，形神兼備，被尊爲宋畫
第一。

五馬圖

北宋

李公麟

高29.3、寬225厘米。

紙本，水墨。

現藏日本私人處。

五馬圖局部之一

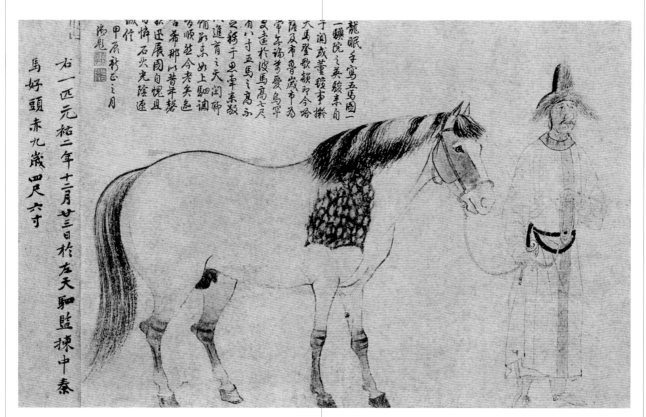

五馬圖局部之二

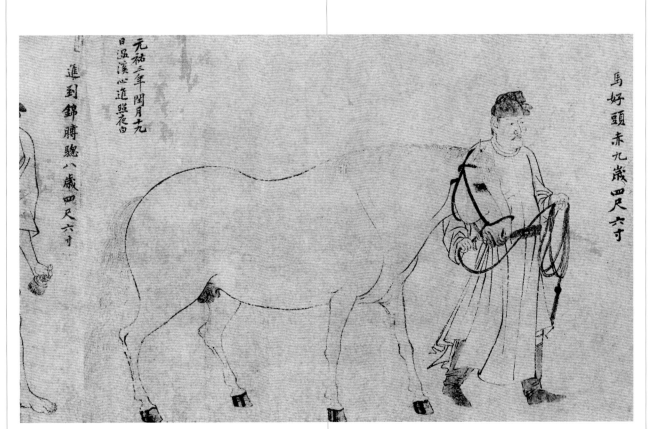

馬好頭赤九歲四尺六寸

元祐三年閏月十九日溫溪心進照夜白

進到錦膊驄八歲四尺六寸

五馬圖局部之三

進到錦膊驄八歲四尺六寸

五馬圖局部之四

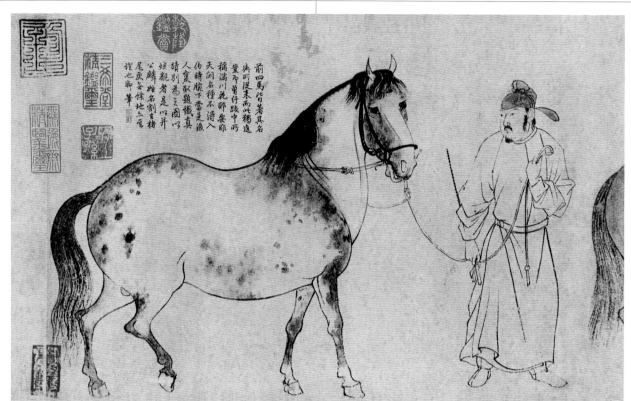

五馬圖局部之五

免胄圖（局部）

北宋

李公麟（傳）

全圖高32.3、寬223.8厘米。

紙本，水墨。

現藏臺北故宮博物院。

孝經圖（局部）
北宋
李公麟

全圖高21.9、寬473厘米。
絹本，水墨。
現藏美國紐約大都會博物館。

孝經圖局部之一

孝經圖局部之二

孝經圖局部之三

孝經圖局部之四

臨韋偃牧放圖

北宋

李公麟

全圖高46.2、寬429.8厘米。

絹本，設色。

現藏故宮博物院。

遼北宋西夏金南宋（公元九一六年至公元一二七九年）

湖莊清夏圖（局部）

北宋
趙令穰
全圖高19.1、寬161.3厘米。
絹本，設色。
現藏美國波士頓美術館。

■ 趙令穰

　　北宋畫家。汴京（今河南開封）人。字大年。宋宗室。官至崇信軍節度使觀察留後，追封榮國公。早年仿摹唐人作品，後專攻山水，擅作設色平遠小景，畫風清麗。

江村秋曉圖

北宋

趙令穰（傳）

高23.6、寬104.2厘米。

絹本，水墨淡設色。

現藏美國紐約大都會博物館。

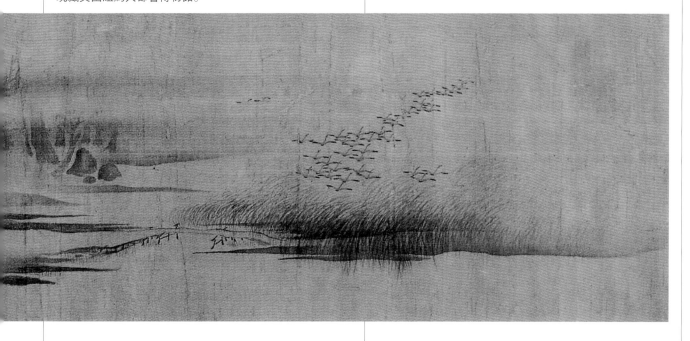

■ 晁補之（公元1053－1110年）

　　北宋文學家、畫家。濟州巨野（今屬山東）人。字無咎。工詩善畫，山水、人物、鳥獸無所不能。

老子騎牛圖
北宋
晁補之（傳）
高50.6、寬20.4厘米。
紙本，水墨。
現藏臺北故宮博物院。

■ 李公年

　　北宋畫家。哲宗朝爲江浙提點刑獄。善畫山水，師法李成，題材有詩意。

山水圖
北宋
李公年（傳）
高130、寬48.4厘米。
絹本，水墨淡設色。
現藏美國普林斯頓大學美術館。

趙克瓊

　　北宋畫家。宋宗室。善繪游魚，所作多爲"京洛池塘間之趣"。

■ 藻魚圖

北宋
趙克瓊
高22.5、寬25厘米。
絹本，設色。
現藏美國紐約大都會博物館。

郝　澄

　　北宋畫家。句容（今屬江蘇）人。字長源。善畫道釋人物和鞍馬。

■ 人馬圖

北宋
郝澄
高33.1、寬36厘米。
絹本，水墨淡設色。
現藏美國波士頓美術館。

■ 趙士雷

　　北宋畫家。字公震。宋宗室。曾任襄州觀察使等職。
善畫湖塘小景，爲時人所推重。

湘鄉小景圖

北宋

趙士雷

高43.2、寬233.5厘米。

絹本，設色。

現藏故宮博物院。

■ 趙 佶（公元1082－1135年）

即宋徽宗。北宋書畫家。在位期間，爲畫院搜羅繪畫人才，興辦畫學，充實內庫收藏，開創古代宮廷繪畫的極盛時期。曾下令編撰《宣和畫譜》、《宣和書譜》和《宣和博古圖》等書。擅長花鳥畫，曾得吳元瑜傳授，學崔白畫風。重視寫生。亦善人物和山水畫。傳世作品較多，有些是御用畫家代筆之作。擅書法，創"瘦金體"。

池塘秋晚圖

北宋

趙佶

高33、寬237.8厘米。

粉箋本，水墨。

現藏臺北故宮博物院。

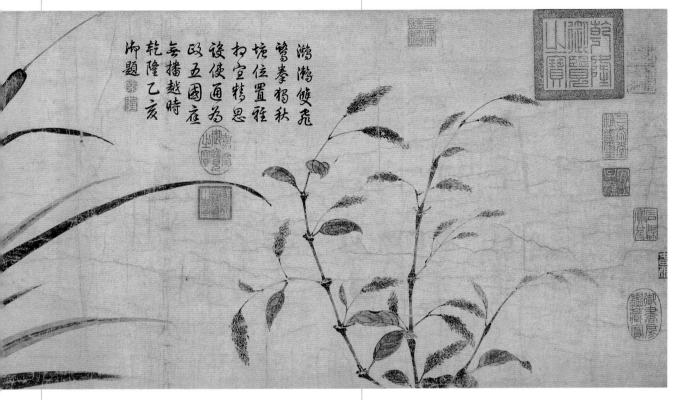

御題　乾隆乙亥　每播越時　政五圖　設使通為　扚宣精思　坵位置莊　鶯參猶秋　瀚瀚雙飛

柳鴉蘆雁圖

北宋

趙佶

高34、寬223厘米。
紙本，水墨淡設色。
現藏上海博物館。

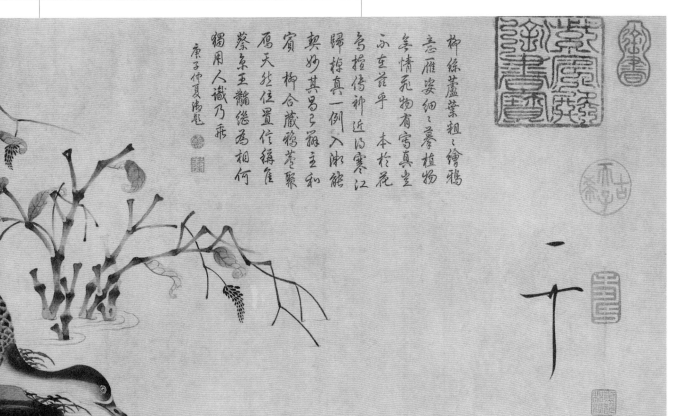

柳絲蘆葉粗粗繪鴉
忘雁姿細細摹植物
多情花物有寫真豈
不至荒乎　本於花
寫摺傳神近得寒江
歸掉真一例入淵能
契妙其另弓孤主和
賓　柳合藏鴉養聚
鳫天然住置作摭雀
蔡京王齡總為相何
獨用人識乃乖
庚子仲夏陽題

芙蓉錦鷄圖
北宋
趙佶

高81.6、寬53.6厘米。
絹本，設色。
現藏故宮博物院。

天產乾皋此異禽遐陬來貢九重深

體全五色非凡質惠吐多言更好音

飛鶱似憐毛羽貴徘徊如飽稻粱心

緗膺紺趾誠端雅為賦新篇步武吟

御製

御書

五色鸚鵡圖（上圖）

北宋

趙佶

高53.3、寬125.1厘米。

絹本，設色。

現藏美國波士頓美術館。

竹禽圖

北宋

趙佶

高33.8、寬55.5厘米。

絹本，設色。

現藏美國紐約大都會博物館。

枇杷山鳥圖
北宋
趙佶
高22.6、寬24.5厘米。
絹本，水墨。
現藏故宮博物院。

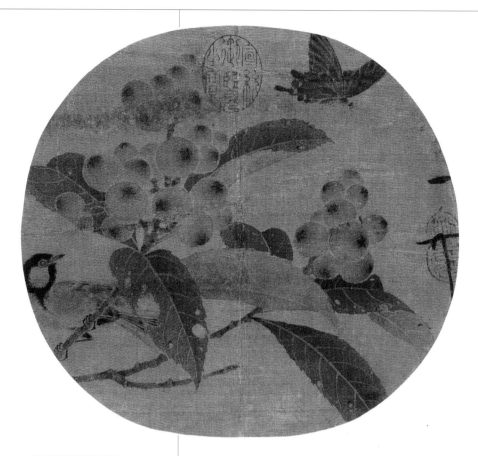

臘梅雙禽圖
北宋
趙佶
高25.8、寬26.1厘米。
絹本，設色。
現藏四川博物院。

文會圖

北宋

趙佶

高184.4、寬123.9厘米。

絹本，設色。

現藏臺北故宮博物院。

聽琴圖（左圖）
北宋
趙佶
高147.2、寬51.3厘米。
絹本，設色。
現藏故宮博物院。

祥龍石圖
北宋
趙佶
高53.8、寬127.5厘米。
絹本，設色。
現藏故宮博物院。

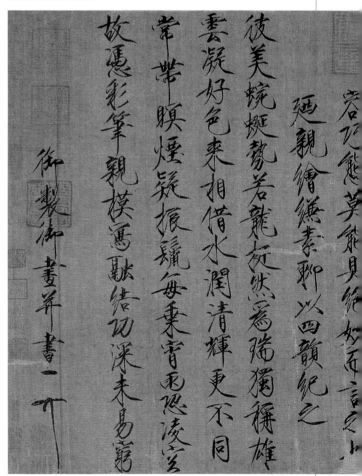

瑞鶴圖
北宋
趙佶
高51、寬138.2
厘米。
絹本，設色。
現藏遼寧省博
物館。

■ 張擇端

　　北宋畫家。諸城（今屬山東）人。字正道。徽宗朝供職翰林圖畫院。專工界畫宮室，尤擅舟車、市肆、橋梁、街衢和城郭等，自成一家。

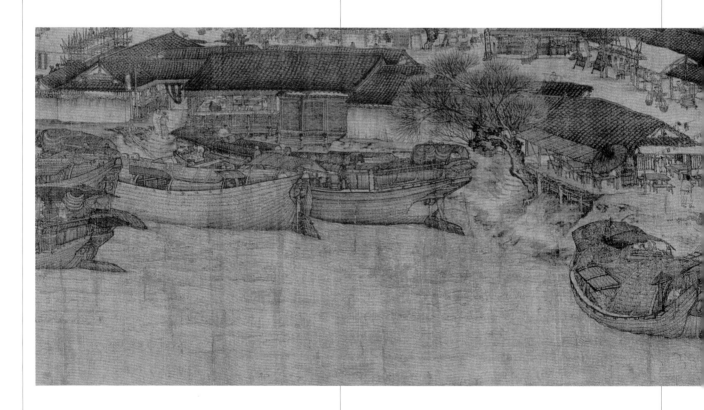

清明上河圖

北宋

張擇端

高24.8、寬528.7厘米。

絹本，水墨淡設色。

現藏故宮博物院。

清明上河圖之一

清明上河圖之二

遼北宋西夏金南宋（公元九一六年至公元一二七九年）

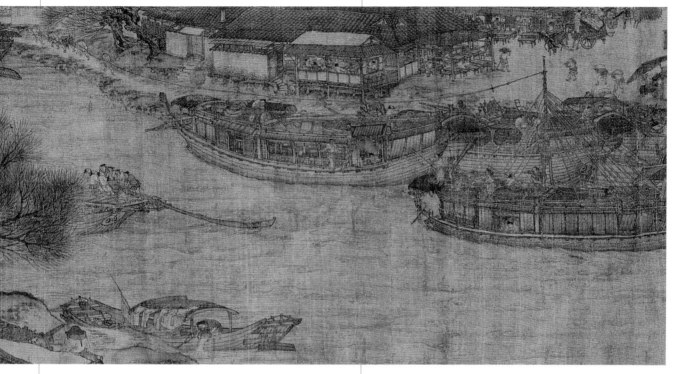

清明上河圖之三

清明上河圖之四

遼北宋西夏金南宋（公元九一六年至公元一二七九年）

清明上河圖之五

清明上河圖之六

■ 王希孟（約公元1096－?年）

北宋畫家。北宋政和年間爲宮廷畫院學生。擅山水，十八歲時作《千里江山圖》，後不久病故。

千里江山圖

北宋
王希孟
高51.6、寬1191.5厘米。
絹本，設色。
現藏故宮博物院。

江山千里望
無垠元氣淋
灕運以神北
宋院誠鮮二
本三唐法絲
幀多皴可驚
當世王和趙
已評一堂君
吾臣昌不自
思作人者尔
時鍽鼎作何
人
丙午新正月
御題

千里江山圖之一

千里江山圖之二

遼北宋西夏金南宋（公元九一六年至公元一二七九年）

千里江山圖之三

千里江山圖之四

千里江山圖之五

千里江山圖之六

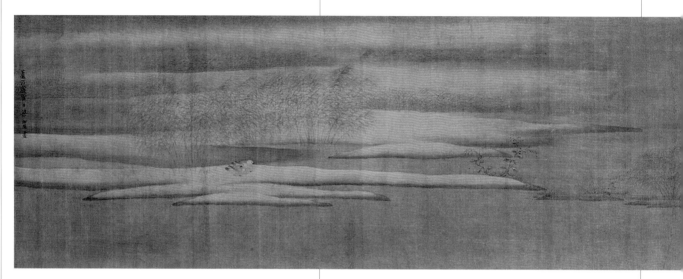

蘆汀密雪圖

北宋
梁師閔
高26.6、寬145.8厘米。
絹本，設色。
現藏故宮博物院。

■ 梁師閔

　　北宋畫家。汴京（今河南開封）人。師閔，一作士閔，字循德。官至忠州刺史、提點西京崇福宮。主要活動于北宋後期。能詩，善畫，長于花竹翎毛等物，具有徐熙花鳥畫風。

院本橫瞶
識瘦金雪
浡宛轉荻
蘆深鴛鴦
雨～相隨逐
不落巖寒

胡舜臣

　　北宋末南宋初畫家。徽宗時爲畫院待詔。擅畫山水，學郭熙。

送郝玄明使秦圖

北宋
胡舜臣
高30、寬111厘米。
絹本，水墨淡設色。
現藏日本大阪市立美術館。

■ 喬仲常

　　北宋畫家。河中（今山西永濟西）人。工雜畫，尤擅道釋人物畫。師法李公麟。

赤壁圖

北宋

喬仲常

高29.7、寬560厘米。

紙本，水墨。

現藏美國堪薩斯納爾遜-艾金斯美術館。

晴巒蕭寺圖

北宋
佚名
高111.5、寬56厘米。
絹本，水墨淡設色。
現藏美國堪薩斯納爾遜
－艾金斯美術館。

山水圖

北宋

佚名

高172.7、寬81.4厘米。

絹本，水墨。

現藏臺北故宮博物院。

雪山行旅圖（右圖）

北宋

佚名

高162.1、寬52.2厘米。

絹本，水墨。

現藏故宮博物院。

雪山樓閣圖
北宋
佚名
高182.4、寬103厘米。
絹本，設色。
現藏美國波士頓美術館。

寒江釣艇圖
北宋
佚名
高170、寬101.9厘米。
絹本，水墨。
現藏臺北故宮博物院。

雪山蘭若圖

北宋
佚名
高181、寬109.5厘米。
絹本，水墨淡設色。
現藏美國華盛頓弗利爾美術館。

臨流獨坐圖

北宋
佚名（舊題范寬）
高156、寬106.3厘米。
絹本，水墨。
現藏臺北故宮博物院。

溪山春曉圖（局部）

北宋

佚名（舊傳惠崇）

全圖高24.5、寬185.5厘米。

絹本，設色。

現藏故宮博物院。

題惠崇溪山
地陳溪山
動植物共處
春餘摹七
潤手桃花
禪宗南北
葦露新
庚宗奇蹟
惠崇奇蹟
千秋貴得
而真詮拈出
又工詩妙撝
是思寫
簡俚工畫
時品識溪山春曉本
溪山春曉
束等一物
淡鼓濃抹
更寫萬物
乾隆戊寅
御題

溪山春曉圖局部之一

溪山春曉圖局部之二

重溪烟靄圖

北宋

佚名

高28.2、寬242厘米。

絹本，水墨。

現藏故宮博物院。

遼北宋西夏金南宋（公元九一六年至公元一二七九年）

江山秋色圖

北宋

佚名（舊題趙伯駒）

高55.6、寬323.2厘米。絹本，設色。現藏故宮博物院。

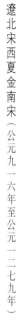

遼北宋西夏金南宋（公元九一六年至公元一二七九年）

雪麓早行圖

北宋

佚名

高163.5、寬74.3厘米。

絹本，設色。

現藏上海博物館。

喬木圖

北宋

佚名

高188.6、寬115厘米。

絹本，水墨。

現藏臺北故宮博物院。

睢陽五老圖

北宋

佚名

高39.9、寬32.7厘米。

絹本，設色。此選爲五老之一，名王渙。

此畫現藏美國紐約大都會博物館。五幅畫像分別藏于美國華盛頓弗利爾美術館、耶魯大學藝術陳列館和紐約大都會博物館。

禮部侍郎致仕王渙九十歲

紡車圖

北宋

佚名（舊傳王居正）

高26.2、寬69.2厘米。

絹本，設色。

現藏故宮博物院。

八十七神仙圖

北宋
佚名
高30、寬292厘米。
絹本，水墨。
現藏北京市徐悲鴻紀念館。

遼北宋西夏金南宋（公元九一六年至公元一二七九年）

洛神賦圖

北宋

佚名

高51.2、寬1157厘米。

絹本，設色。

現藏故宮博物院。

洛神賦圖之一

洛神賦圖之二

洛神賦圖之三

洛神賦圖之四

梅竹聚禽圖

北宋

佚名

高258.4、寬108.4厘米。

絹本，設色。

現藏臺北故宮博物院。

枇杷猿戲圖

北宋

佚名

高165、寬107.9厘米。

絹本，設色。

現藏臺北故宮博物院。

釋迦説法圖
北宋
佚名
高188.1，寬111.3
厘米。
絹本，水墨淡設色。
現藏臺北故宮博物院。

報父母恩重經變圖

北宋

佚名

發現于甘肅敦煌莫高窟藏經洞。

高182、寬127厘米。

絹本，設色。

現藏甘肅省博物館。

觀音經變圖

北宋

佚名

發現于甘肅敦煌莫高窟。

高84.1、寬61.2厘米。

絹本，設色。

現藏法國巴黎吉美美術館。

十王經圖（局部）

北宋

佚名

全圖高28、寬495厘米。

紙本，設色。

現藏英國倫敦大英博物館。

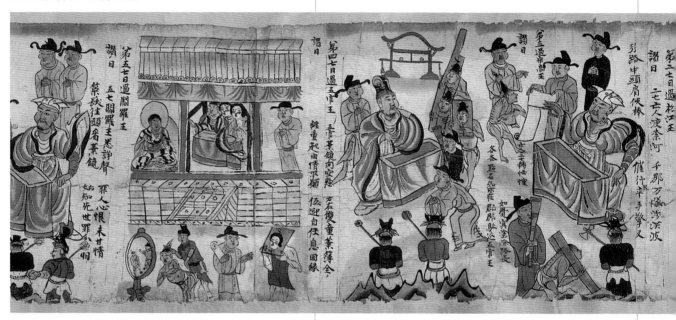

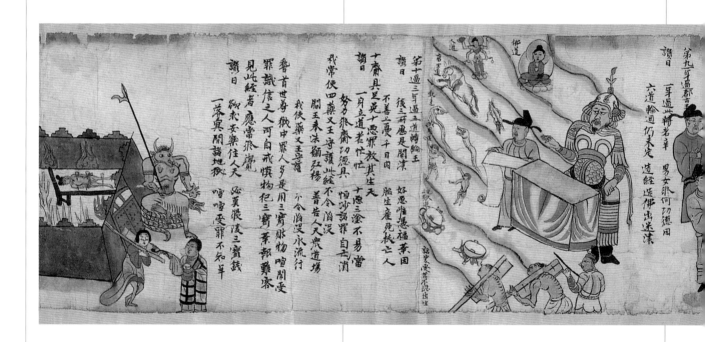

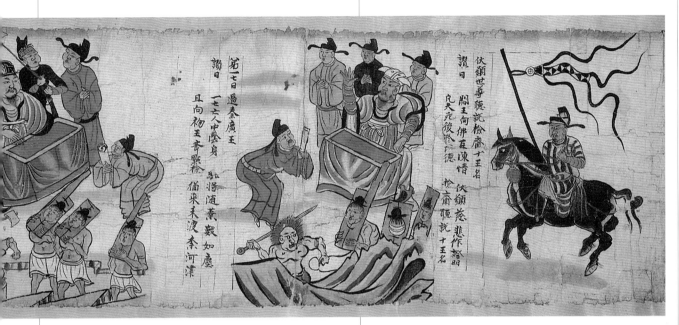

十王經圖局部之一

十王經圖局部之二

孔雀明王像

北宋

佚名

高167.1、寬102.6厘米。

絹本，設色。

現藏日本京都仁和寺。